Das Handgemachte Universum

Das Handgemachte Universum

johann.hobl@gmail.com
www.hobl.at
+43 664 10 69 826

Cover: Unser Sonnensystem, Malerei von Johann Hobl (Acryl auf Hartfaserplatte)

Herstellung und Verlag:
BoD – Books on Demand, Norderstedt

ISBN: 9783750431188

Inhaltsverzeichnis

Vorwort

Dieser Bericht ist ein herantasten in die Welt der Ursache, wie war es möglich, dass aus der dunklen Nacht, dem Nichts, etwas entstehen konnte, was wir unser Universum nennen. Wer sind wir Menschen eigentlich, die eine wundersame Umgebung vorfinden, an der wir uns erfreuen, und mit unserer Geistesfähigkeit kultivieren und für uns angenehm gestalten können. Im gleichen Atemzug zerstören wir die Natur und uns selber durch selbstsüchtige Gedanken, Worte und Werke.
Ein kleiner Streifzug im extremen Zeitraffer durch die Menschheitsgeschichte aus der Sicht des Erbauers, führt uns in diesem Buch zur Wurzel des Übels auf der Erde, seit Anbeginn der Menschheit.
Einige Eckpfeiler der langen Menschheitsgeschichte führen uns bis ins zwanzigste Jahrhundert, das von weltweiten Kriegen einerseits, und technischen Fortschritt anderseit geprägt war. Weltuntergangsstimmungen und Endzeitszenarien begleiten uns bis heute. Viele Prophezeiungen von Sehern der vergangenen Jahrhunderte richteten sich auf das 20. Jhd. und darüber hinaus, in dem apokalyptische Ereignisse einerseits, und die Wiederkunft Chisti andererseits eintreffen würden. Überbevölkerung, Umweltverschmutzung und Technologien,die uns überwachen, sind den Menschen durch diverse Bücher (Georg Orwell 1984) bewußt geworden.
Die Jahre vergingen, der Übergang ins dritte Jahrtausend wurde mit Spannung erwartet. Was ist passiert?
Nichts von außergewöhnlicher Bedeutung.
Zuletzt wurde das Jahr 2012 und im besonderen der 21. Dezember 2012 als magisches Datum errechnet. Bücher wurden geschrieben, Filme gedreht, mit teilweise furchterregenden Naturkatastrophen. Wir haben sie alle überlebt, außer einer Anhäufung von Erdbeben mit seinen Auswirkungen und selbst produzierter Kriege.
Was steckt dahinter?
Es gab auch jene erwähnten Prophezeiungen, die speziell im christlichen Kulturbereich wie Europa, mit der Erwartung der Wiederkunft Jesus Christus einher gingen, aber nirgends mit lautem Posaunenschall von den Engeln, den Boten Gottes angebliesen wurden.
An der Schwelle vom 19. zum 20. Jhd. gab es in Korea große Erwartungen, dass der Messias in diesem Land geboren wird. Im Europa nach dem zweiten Weltkrieg erlebte das Christentum bis Anfang der 70er Jahre eine spirituelle Erweckungsbewegung mit Wierdekunftserwartungen, die besonders von neuen Gruppen, auch Sekten genannt,

auf den Straßen und Plätzen propagiert wurden. Nach und nach flaute der lebendige Geist ab, und ist heute kaum noch wahrnehmbar. Was hat sich auf der Bühne des Weltgeschehens, aber auch hinter dem Vorhang im 20. Jhd. betreffend der religiösen Erwartung auf die Wiederkunft einerseits, und den Verfall der christlichen Werte in den meisten Ländern der Erde andererseits, abgespielt?
Das zwanzigste Jahrhundert hat uns auch neue Erkenntnisse über Zusammenhänge in der Geschichte, die Bedeutung der Religionen in der Vergangenheit und Heute geschenkt. Wohin geht unsere Reise?
In diesem Buch sind auch Ereignisse des zwanzigsten Jahrhunderts bis heute aufgezeichnet, die als solche von den führenden Schichten auf religiöser und weltlicher Ebene in ihrer Bedeutung nicht richtig eingeschätzt und wahrgenommen wurden.
Stellen wir uns die Frage: Sind die Ereignisse und Erwartungen eingetroffen? Oder ist so manches im Keim erstickt? Oder nicht wahrgenommen worden?
Auf diese Fragen wird in diesem Buch auf möglichst kurze und einfache Art eingegangen. Die heiß umstrittene Person, welche der Urheber und Ausgangspunkt meiner Entdeckungsreise in die Welt der letzten Ursache ist; die Verfolgung auf allen Ebenen, politisch, religiös und schließlich auch unter seinen eigenen Mitstreitern erduldet und überlebt hat, ist letztlich als Sieger der Wahren Liebe hervorgegangen.
Sein Name ist: Rev. Dr. Sun Myung Moon.
Mögen die niedergeschriebenen Ereignisse und Erkenntnisse, welche nur einen Hauch der gesamten Geschichte darstellen, dem Leser eine hoffnungsvolle Zukunft, eine Zukunft, welche im Christentum, in der Bibel im Buch der Offenbarung als Reich Gottes, die Wohnung Gottes unter den Menschen beschrieben ist:
Offb. Kap. 21, 1-8

Johann Hobl
Wien, im August 2019

Einige Worte über mich

Seit meiner Kindheit faszinierten mich die vorbeiziehenden Wolken am Himmel, die auch Regen oder Schnee fallen ließen, und meinen Gemütszustand in Begeisterung und Entzückung versetzten. Bald wurde ich auch der Hans Guck in die Luft genannt. Besonders in der Volks-und Hauptschule trug ich meinem Spitznamen den Stempel auf, wenn ich statt den Ausführungen des Lehrers zu horchen, meine Blicke durch das Fenster in den Himmel erhob, um einen markanten Umbruch des Wettergeschehens zu beobachten. So manches Mal ärgerte ich mich, wenn im Winter der Schnee nicht über uns die Wiesen und Bäume mit seiner weißen Pracht verzauberte, sondern nur in den Bergregionen, wie ich oft aus dem Wetterbericht im Radio gehört hatte.
Aber wenn es soweit war, und in den Wintermonaten bei Regen die Temperatur sich der Null Grad Marke näherte, und die ersten schwerfälligen Schneeflocken den Regen langsam verdrängten, dann war alles andere, besonders die Hausaufgaben völlig bedeutungslos. Jetzt rannte ich nur noch von der Haustür durch das Vorhaus in den Hof, einen Blick zum Thermometer werfend, wunderbar, wieder zwei Zehntel Grad näher am Gefrierpunkt; weiter gings durch den Hof beim Scheunentor hinaus, und siehe da, die ersten dicken Flocken hielten sich an den Zweigen, an den Grashalmen fest, ohne sich wieder in Wasser aufzulösen. Jetzt waren alle mühseligen Rechenaufgaben vom Tisch gewischt, der Himmel hat sich geöffnet, ach, würde es so bleiben.
Sobald ein Gewitter über uns hereinbrach, welches ich natürlich schon während der Entstehungsphase am Himmel beobachtete, und an Hand der Flugrichtung der Wolken berechnete, ob und wann es bei uns eintreffen würde, waren alle meine Sinne nur noch darauf ausgerichtet, das hereinbrechende Spektakel rund ums Haus zu beobachten. Der aufkommend stürmische Wind, die ersten schweren Tropfen, manchmal auch Hagel; meine Augen waren ständig gegen den Himmel gerichtet, so rannte ich durch das Haus und ums Haus herum, beobachtete die kleinen Bächlein, die frei vom Dach herunter purzelten, sich ihren Lauf der Straße entlang suchten, und gesammelt im Bach, den ich von unserem Grundstück aus beobachten konnte, ihre weitere Reise fortsetzten. Ich vergaß alles andere, und fühlte mich vom Himmel gewaschen.
Während meiner Jugendzeit durchbrachen meine Blicke die Wolken, die den blauen Himmel durchzogen, und ich fragte mich:

Wie ist das nun mit dem Mond, der Sonne und den vielen Sternen?
Wie sind sie entstanden? Wie weit sind sie weg?

Vielleicht könnte ich auch einmal mit einem Raumschiff auf den Mond, oder noch weiter weg mitfliegen.
Bücher über Astronomie landeten nach und nach in meinem Zimmer, und wurden von mir verschlungen. So sammelte ich Kenntnisse über die Entstehung des Universums und des Lebens auf der Erde. Die Erklärungen in diesen Büchern gaben mir mehr Klarheit über meine Fragen über den Ursprung allen Seins, als es die Kirche und der Religionsunterricht im Stande waren.
Doch der entscheidende Punkt, wie die Entwicklung von den kleinsten Wesenheiten bis zum Menschen stattgefunden hat, konnte aus wissenschaftlicher Sicht auch nicht eindeutig geklärt werden. Ich war mir aber sicher, dass diese Fragen von den Wissenschaften in absehbarer Zeit beantwortet werden könnten.
Als ich im Jahr 1974 in sehr einfacher Form, während eines Vortrags, einen Gedanken, eine Idee als Ursache für den Beginn des sichtbaren Universums in Betracht zu ziehen hatte, durchdrang diese simple Aussage meinen ganzen Körper und mein Gemüt.
Eine Idee, die mit einem Wunsch, und der Verwirklichung dessen in Verbindung steht, produziert in seiner Vollendung das Gefühl der Freude und Selbstverwirklichung.
In der Folge wurde mir klar, das Prinzip von Ursache und Wirkung ist ein fundamentales, und in allen Lebensbereichen einsetzbar.
Als ich hörte, woher die Philosophie, welche das gesamte Universum und den Menschen als physisches und geistiges Wesen einschließt, und obendrein einen Leitfaden über den Verlauf der Geschichte vermittelt, von einem Mann aus Korea entdeckt und niedergeschrieben wurde, verstand ich auch, wer dieser Mensch mit dem Namen Sun Myung Moon ist.
Der Streifzug in diesem Buch vom ersten Gedanken bis heute, möchte dem Leser einen kleinen Ansatz in die Welt der Ursache vermitteln, die mit dem Ideal der Liebe verbunden ist, und in jedem von uns schlummert. Aber auch die Irrwege, die zu unserer konfliktreichen Welt geführt haben, werden durchforstet.
Im gleichen Zuge gibt es auch einen Weg, der uns aus diesem Schlamassel der Konflikte und Verwirrungen herausführt in einen Bereich, den wir uns alle wünschen!
Nämlich "Den Himmel auf Erden"

Johann Hobl
Wien, im August 2019

Monolog (der erste Gedanke)

Dunkelheit umgibt mich, sie scheint kein Ende zu haben. Denn hätte sie ein Ende, so müsste auch ein Anfang vorhanden sein. So verweile ich in meiner dunklen Sphäre, ohne auch nur einen Funken Zeitbegriff wahrzunehmen. Wie sollte das auch geschehen, wenn es rundherum finster ist, und nichts erfassbar ist. Wie könnte auch etwas erfassbar sein, wenn nichts da ist, und ich auch nichts habe, womit ich irgend etwas anfassen kann.
Da kommt mir der Gedanke:
Ich kann nichts anfassen, nichts in Bewegung bringen. Ich denke etwas! Ist das mein erster Gedanke?
Wer bin ich Überhaupt? Es wühlt in mir, wie ein kribbeln zuckt es durch meinen Kosmos, der eigentlich gar keiner ist. Er fängt nirgends an,und hört nirgends auf. Der Gedanke dringt weiter in mir vor, und macht mich ungeduldig, trotz meiner kreisenden Gedanken, die in einer gewissen Unbeweglichkeit verankert sind. Der Gedanke ist nicht zu stoppen, und trägt mich weiter zu einem Gedankenbild, das sich in meiner Vorstellungskraft weiter entwickelt, und die Frage aufwirft: Brauche ich etwas? Fehlt mir etwas?
Könnte ich vielleicht ein Wort aussprechen?
Aber wie? Ich habe ja keinen Mund, und außerdem würde es niemand hören, der mir erwidern könnte. Hey, das ist ein gutes Wort, ein schöner Gedanke. „Erwidern"
Ich brauche ein Gegenüber! Wie soll dieses Gegenüber aussehen?
Mein Herz fängt an vor Aufregung zu zittern, doch es zittert nur in meiner Vorstellung, die sich trotzdem sehr real anfühlt. Ein Gegenüber zum anfassen, zum lieben, etwas das meine Sehnsucht zum Ausdruck bringt. Kräfte geraten in Bewegung, und lassen mich nicht mehr los. Ein Gegenüber, ein Gegenpol, zwei Komponenten in meiner kosmischen Sphäre verankert, schweben kreisend in meinen dunklen Augen hin und her. Meine Gedanken kreisen weiter, sie kreisen, ein Kreis ist rund, ich muss ihn zu einer Kugel machen.
Bin ich nicht eine Kugel?
Ich muss zu einer Kugel werden, damit ich mich im Kreis bewegen kann. Zwei Komponenten, ich spüre die Kräfte in mir, wie sich die Pole, wenn ich sie aus mir trenne, sich dann wieder zusammenziehen, aber nicht zusammen stürzen. Ja, sie müssen kreisen, eine Sphäre erzeugen. Diese beiden Pole habe ich zur Verfügung, ihre Schwingung, ihre Geschwindigkeit berechnen, mein Herz bebt, so muss es funktionieren.

Ich setze meine vertikale kosmische Achse ein, mein Herz schlägt vor Aufregung, mein Verstand berechnet Koordinaten, und ich beginne mit der Arbeit.Das Bild von zwei Komponenten hat sich mittlerweile entwickelt. Aber was heißt mittlerweile, es ist ja noch gar keine Zeit vergangen.
Ich sitze noch immer fest, und mir wird heiß. Die ersten Skizzen auf meinem Gedanken-computer sind getan, die Verbindungen hergestellt, die Wechselwirkung meiner Pole intensiviert sich, und mir wird immer heißer, und zugleich heller. Der Stoff aus dem die Träume sind, der Wasserstoff bildet eine Unzahl an Atomen. Ich kann sie in unendlicher Zahl aus der Rotation meiner beiden Pole entwickeln.
Das Universum beginnt zu leuchten. Mein Endprodukt, das ich in der Form eines Menschen mit Kopf, Rumpf und Gliedmaßen mir erdachte, werde ich an einem schönen Platz im Kosmos platzieren, den ich so entwickeln und gestalten werde, damit sich dieses Wesen darauf wohl fühlen kann. Damit der Mensch auch mit mir kommunizieren kann, werde ich ihn mit den Elementen meiner Kreativität, und meinen Herzenswunsch ausstatten, damit ich eine innige Beziehung mit ihm unterhalten kann. Meine beiden Pole von plus und minus mit denen ich mein Universum aufbaue, werde ich auch im Menschen von Mann und Frau getrennt platzieren, damit sie sich gegenseitig anziehen, und durch das Zusammentreffen dieser beiden Pole höchstes Glück und Freude empfinden können.

Das Handgemachte Universum

Dunkelheit umhüllt die Finsternis, die nirgendwo anfängt, und ebenso kein Ende hat. Ist es überhaupt vorstellbar, dass in diesem Zustand irgend etwas sein kann, das mit einem Gedanken, einer Idee, einer Vorstellungskraft verbunden ist?
Nehmen wir an, es gab zu jener Zeit, die etwa 13,5 Milliarden Jahre her ist, als eben noch diese Dunkelheit und Finsternis vorhanden war, kein Gedanke, keine Wünsche, keine Vorstellungen oder Emotionen, die darauf ausgerichtet waren, etwas zu kreieren, das eine Veränderung des momentanen Zustandes herbei führen hätte können.
Nun ist es sinnvoll herauszufinden, welche Kriterien und Voraussetzungen notwendig sind, um zunächst aus der Dunkelheit, die auch als Ursuppe bezeichnet wird, ein Licht, etwas leuchtendes hervorzubringen, damit einmal überhaupt etwas gesehen werden kann.
Daraus ergibt sich die nächste Frage:
Kann da überhaupt jemand, oder ein Wesen sein, das etwas sieht?
Diese Frage werden wir noch weiter erforschen. Aus wissenschaftlicher Sicht, ist die Entstehung des Universums und des Lebens, eine Ansammlung vieler glücklicher Umstände, die eine Entwicklung aus dem Nichts ermöglichten. Lassen wir diese Erkenntnisse, die uns zweifellos eine Menge an Wissen über physikalische, biologische Zusammenhänge gebracht haben im Raume stehen, und gehen zunächst der Frage nach, wie die sogenannten Zufallserscheinungen in den vergangenen Milliarden Jahren zustande kamen.

Machen wir einen kleinen Versuch: Beginnen wir mit der Gegenwart, schließen wir unsere Augen, lassen die uns umgebende Dunkelheit auf uns einwirken, und gehen wir im Geiste zurück in die Vergangenheit, bis an den Anfang der Zeit. Welche Gedanken und Gefühle entstehen in uns in dieser Situation der Dunkelheit. Wir werden sehr rasch feststellen, dass wir nicht sehr lange so verweilen möchten, und unsere Gedanken tragen uns fort.

Wohin?
Wir suchen einen schönen Platz wo wir uns wohlfühlen, wo wir jemanden treffen, mit dem wir eventuell in Beziehung treten können. Lassen wir die Augen geschlossen, und versuchen wir noch einmal die Dunkelheit der Ursuppe oder des Nichts, oder Chaos, wie immer man es auch nennen mag, auf ähnliche Weise zu erhellen.

Die von Dunkelheit umhüllte Nacht ist einerseits gähnende Leere, aber dennoch von einer schlafenden Energie umhüllt, die im ruhenden Zustand in sich selbst in Harmonie als universale Ursprungsenergie von plus und minus frei im Raum schwebend existiert. Was ist ein Raum, der von „Nichts" eingeengt ist? Gibt es ihn überhaupt?
Er ist nicht greifbar und manifestiert sich auch nicht von selbst. Wenn ich mir etwas in meinen Gedanken vorstelle, und ein Bild vor meinem geistigen Auge kreiere, und dieses Bild meinem innersten Wunsche entspringt, dann beginnt mein innerstes Wesen zu vibrieren und beginnt einen Plan zu machen, wie ich diesen Gedanken, meinen Herzenswunsch in Erfüllung bringen könnte. Um Gedanken und Ideen Wirklichkeit werden zu lassen, sind in der Folge Taten notwendig, die auf das Ziel meiner Ideen und Vorstellungen ausgerichtet sind. Dazu brauche ich entsprechende Materialien, damit ich mit der Arbeit beginnen kann. Die Zusammensetzung und Verarbeitung meiner besorgten Materialien, setzen gewisse Kenntnisse voraus, die ein Gelingen meines Werkes ermöglichen. Ob dies ein gemaltes Bild, ein Musikstück, eine Maschine, oder ein Haus ist, ist sekundär. Wichtig ist, dass das vollendete Werk meiner Vorstellung, meiner Idee entspricht und ich meine ganze Persönlichkeit, mein Wissen und mein Herz investiert habe, sodass ich mein Werk mit Freude und Erfüllung betrachten, benutzen, und zur Freude meiner Mitmenschen weitergeben kann. Jede Idee, jeder Gedanke nützt nichts, wenn er nicht in die Tat umgesetzt und vollendet wird. Liegt dieses Universum, das wir mit unseren eigenen Augen betrachten, und mit unseren Teleskopen erforschen können, einer Idee zu Grunde?

Wo liegt unser Ursprung

Springen wir zunächst vom Ursprung in die Gegenwart und betrachten wir uns selber. Welche Voraussetzungen mussten geschaffen werden, damit jeder einzelne von uns, über sieben Milliarden Menschen geboren werden konnte?
In jedem Fall war ein Mann und eine Frau im Spiel.
Was passiert, wenn ein junger Mann und eine junge Frau sich begegnen? Da fängt doch etwas an, sich in Bewegung zu setzen. Gefühle werden wach gerüttelt, diesem Gegenüber möchte ich näher kommen. Eine wechselseitige Beziehung beginnt sich zu entwickeln. Ein innerer Motor sagt mir, oh, diesen Mann bzw. diese Frau mag ich!

Ein Gefühl der Liebe entwickelt sich. Liebe erwacht aus dem Inneren unseres Herzens. Mein Herz fängt wild zu schlagen an! Wenn beide, der Mann und die Frau im völligen Einklang mit sich selber, und dem Ursprung unserer Existenz zusammentreffen, so ist das wie eine Explosion der Liebe, wo sich die beiden Liebesorgane von Konvex und Konkav entfalten, aufeinander prallen, und einen Bewegungskreislauf mit höchster Intensität entwickeln, der sie verschmelzen lässt, und eine himmlische Sphäre eröffnet, die im höchsten Glücksgefühl ihren Höhepunkt findet. Als Ergebnis kann sich dadurch ein männlicher Same mit einer Eizelle verbinden, und neues Leben kann sich im Mutterleib entwickeln.
Diese Bewegung oder Aktion zwischen Mann und Frau ist die Ursache für die Geburt jedes einzelnen von uns.
Halten wir fest: Aktion muss stattfinden damit etwas entstehen kann. Wie verhält sich das mit den vielen anderen Lebewesen auf der Erde? Bei den Tieren sehen wir das dasselbe Prinzip. Männliche und weibliche Tiere vermehren sich auch durch ihre Sexualorgane. Bei den Insekten ist es dasselbe. Auch bei den Pflanzen haben wir Staubgefäße und Stempel zur Vermehrung. Die noch kleineren Formen, die Moleküle, bilden sich ebenfalls durch eine Wechselbeziehung von positiv und negativ geladenen Ionen. Auch die Atome bestehen aus einem positiven Kern, den Protonen, und einer negativ geladenen Hülle, den Elektronen. Somit sind wir bei den Elementarteilchen angelangt, den positiv und negativ geladenen Teilchen. Grundsätzlich können wir daraus schließen, dass der gesamte Kosmos in ein Paarsystem eingebettet ist. Durch den Akt der Liebe zwischen männlich und weiblich auf den verschiedensten Ebenen, bis hinunter zu den Atomen, wird durch die Wechselbeziehung von Plus und Minus die Existenz des gesamten Universums kreiert und stabilisiert.

Jetzt erhebt sich die Frage:
Wie ist es zur Entstehung und weiteren Entwicklung vom kleinsten Lebewesen bis zu uns Menschen gekommen. Aus der Physik und Biologie wissen wir, dass jede Materie aus einer Vielzahl von Atomen verschiedener Elemente, die auf der Erde vorkommen zusammengesetzt ist. Dies ist die anorganische Welt die auch lebendig ist.
Damit meine ich:
Jeder Kieselstein, jede Handvoll Erde, jeder Tropfen Wasser, auch unsere Luft besteht aus vielen Atomen, die einen positiven Kern und eine negative Hülle besitzen, die durch den Vorgang einer wechselseitigen Beziehung von Plus und Minus ihre Existenz aufrecht erhalten. Wie ist es nun zu den lebenswichtigen Vorgang der wechselseitigen Beziehung von Plus und Minus im Universum gekommen?
Wie Anfangs schon erwähnt, entsteht bei der Begegnung zwischen Mann und Frau ab einer gewissen Nähe, verbunden mit Sympathie, eine geheimnisvolle Kraft, die wir Liebe nennen. Dieses Muster zieht sich durch bis hinunter zu den Atomen und Teilchen. Diese Kraft ist ursächlich und im Universum vorhanden. Sie ist die ursächliche Kraft Gottes unseres Schöpfers, die von Anfang an existent, und in den geschaffenen Wesen von den kleinsten Elementarteilchen bis zum Menschen sichtbar zum Ausdruck kommt. Diese Kraft gepaart mit Motivation und Zweck, der in jedem Wesen von Mikro bis Makro vorhanden ist, und jedem Wesen seine Einzigartigkeit und seinen Daseinszweck verschafft, ist der eigentliche Ursprung allen Seins.
Sowie ich meine ganze Persönlichkeit und mein Herz in meinem geschaffenen Werk investiere, woraus Freude entspringt, so investierte Gott der Erschaffer, der Inszenierer, der Gestalter des Universums seine ganze Energie und sein Herz in die Schöpfung, und besonders in den Menschen, um ein lebendiges Spiegelbild seines ursprünglichen Wesens zum Ausdruck zu bringen und zu erleben. Machen wir einen kleinen Sprung in die organische Welt der Zellen und dem Tierreich. Die lebendige Zelle ist jene kleine Form, die ihr Leben durch ihren eigenen Stoffwechsel aufrecht erhält. Für einen Stoffwechsel müssen die dafür notwendigen Organe vorhanden sein. Die Zelle hat auch die Fähigkeit sich zu teilen, das heißt, sie vermehrt sich. Vermehrung findet durch Paarung statt. Das heißt, die Zelle hat auch Sexualorgane von männlich und weiblich die sich paaren und so eine neue Zelle hervorbringen. Das heißt, ein Liebesakt auf einer winzigen Ebene findet in jeder Zelle statt. Nehmen wir als Beispiel ein Einzelliges Lebewesen die Amöbe her. Die Amöbe hat auch die Fähigkeit durch Paarung im Zellkern sich zu vermehren. Sie produziert aber immer nur wieder eine neue Amöbe. Sie kann und wird sich aus sich selbst heraus nicht zu etwas Größeren entwickeln.

Als wissenschaftliche Bezeichnung für die „ Entstehung der Arten“ nach Charles Darwin wurde das Wort Evolution erfunden. Alles hat sich durch Evolution entwickelt. Aus dieser Annahme ist die Evolutionstheorie entstanden.
Die Evolution hat die Vielfalt in der Natur hervorgebracht.

Aber Wie?

Machen wir einen weiteren Blick in die Natur.
Die Pflanzenwelt:
Der Same eines Veilchens wird durch Bestäubung (Staubgefäß und Stempel Liebesakt auf der pflanzlichen Ebene) immer wieder ein Veilchen hervor bringen. Ein Spatzenpaar wird immer nur Spatzen hervorbringen. Ein Schimpansen-Paar immer nur junge Schimpansen. Wie wurde das Veilchen zum Veilchen? Der Spatz zu einem Spatz? Oder der Schimpanse zu einem Schimpansen? Da muss es doch eine Vielzahl an Entwicklungen gegeben haben, die dazu geführt haben, dass schließlich ein Veilchen, ein Spatz oder ein Schimpanse hervortreten konnte?

Wie wir festgestellt haben wird Leben nur durch die Sexualorgane weitergegeben, und nur innerhalb einer Gattung. Im Jahreszyklus haben die Tiere nur zu gewissen Zeiten das Interesse ihre Spezies durch Paarung weiterzugeben. Da kommt kein Spatz auf die Idee sich mit einer Ammer, oder einem anderen Vogel seiner Größenordnung zu paaren. Es gibt auch keinen dritten im Bunde, der da einfach daher geflogen kommt und sagt“ he ich möchte mit dir Sex haben und Junge hervorbringen. In der Natur, sowohl in der Pflanzenwelt als auch in der Tierwelt herrscht absolute Ordnung. Jedes Wesen bleibt bei seiner Gattung, sucht sich einen Partner mit teilweise eindrucksvollen ideenreichen Liebeszeremoniel, paaren sich schließlich, brüten ihre gelegten Eier aus, oder bringen Junge zur Welt, ziehen ihren Nachwuchs auf, beschützen ihre Kinder vor Gefahr, bis sie flügge werden, und ihr geborgenes Nest verlassen. Die Jungen fügen sich in ihren Verband ein, gemäß ihrer angeborenen Natur, wiederholen den Kreislauf der Natur, indem sie nach ihrer Geschlechtsreife sich einen Partner suchen und wiederum Nachwuchs der gleichen Spezies hervorbringen.

Schlussfolgerung

Vermehrung findet durch die Vereinigung der Sexualorgane statt. Für die Entwicklung (Evolution) von einem einfachen zu einem höheren Wesen sind weitere Komponenten notwendig.
Um etwas Größeres hervorzubringen ist mehr Energie notwendig.
Dieses Mehr an Energie kann ein Wesen nicht aus sich selbst hervorbringen.
Diese Energie muss von Außen geliefert werden, sie ist ursächlich und hat die Attribute von plus und minus, sie ist Gottes äußere ewige Energie. Die innere Energie ist Gottes Kern, sein Charakter, seine Schöpferkraft, sein Herz das sich in der Vielfältigkeit der Schöpfung zeigt. So hat jedes Wesen eine Vielzahl an Entwicklungsstufen zu durchlaufen, die nur durch Paarung ermöglicht werden. Die zusätzliche Energie mit eingebauten Bauplan inklusive Zweck und Richtung wie die Entwicklung weiter gehen soll, wird aus dem inneren und äußeren Wesen Gottes hinzugefügt. Dieser Vorgang kann nicht als Evolution bezeichnet werden, sondern als Schöpfungsakt. Wir sind geschaffene Wesen mit einem komplexen Bauplan, ausgestattet mit einem Charakter, mit Schöpferkraft und Liebesfähigkeit, die vom Ursprung des Universums dem Wesen Gottes ausgeht und in der Schöpfung in den verschiedensten Formen zum Ausdruck kommt. Wobei wir Menschen das Potential haben, als die Krone des ganzen Schöpfungsprozesses diese wunderbare Welt im Sinne des Erbauers zu gestalten und nutzbar zu machen.

Noch ein Wort zur Evolutionstheorie
Die Evolution hat dies und das hervorgebracht.
Wie hat sie dies und das hervorgebracht?
Wo hat sie die unzähligen Ideen in der Natur gefunden, wie brillant und einfallsreich muss die Evolution wohl sein. Kein Wesen vom Einzeller bis zum Menschen hat sich selbst sein Aussehen ausgesucht. Jedes Wesen wird von einem Mutterleib geboren, oder schlüpft aus einem Ei, und wächst weiter, so wie es schon im Mutterleib oder im Ei nach der Befruchtung begonnen hat zu wachsen. Es evolutioniert nicht, sondern es wächst. In der Samenzelle und in der Eizelle, ist bereits das jeweils gesamte genetische Material, sein Charakter, und seine Struktur enthalten. Durch die Vereinigung von einer Samenzelle mit einer Eizelle im Mutterleib, kann dieses vereinigte Wesen die notwendigen Nährstoffe aus dem Mutterboden beziehen, und zu seiner bestimmten Größe und Form heranwachsen. Es ist ein Wachstumsprozess notwendig für die Ent-

wicklung eines Wesens. Das hat nichts mit Evolution zu tun. Das Wort Evolution ist eine Erfindung ohne wissenschaftliche Grundlage. Die Evolutionstheorie ist nicht in der Lage eine fundierte Erklärung über die Entwicklung einer einfachen Spezies zu einem höher entwickelten Wesen zu erklären. Somit wurde mit dem Wort Evolution ein Wort erfunden, welches als Ersatz für den Schöpfergeist Gottes herangezogen wird. Jedes Wesen ist eine gigantische Konstruktion mit einem ausgeklügelten System, das dem Überleben und der Fortpflanzung dienlich ist. Der Mensch ist darüber hinaus mit einem erfinderischen kreativen Geist ausgestattet, im innersten Kern in Liebe und Liebesfähigkeit eingebettet, die er nicht selbst erfunden hat, sondern von Gott unserem Schöpfer und ewiglichen Vater gegeben wurde.

Eine ursächliche Idee

Bevor Gott mit der Inszenierung des Universums begann, galt sein Hauptaugenmerk, „mit welcher Szene starte ich mein großes Werk". Eine Szene ist auch gleichzusetzen mit einer Aktion. Um eine Aktion durchführen zu können, benötige ich zunächst eine gewisse Grundausstattung, oder anders ausgedrückt, ein gewisses Grundmaterial um damit eine Aktion durchführen zu können.
Welches Grundmaterial hatte Gott zur Verfügung, und wer war er eigentlich damals bevor noch nichts war. Nur Gott für sich selber sein, macht nicht viel Sinn, er existierte für sich, in sich, um sich und war auf sich alleine gestellt. Für sich selber brauchte er nicht Gott zu sein. Aus diesem Bedürfnis jemand zu sein, für jemanden da zu sein, ein Objekt, ein Gegenüber zu finden, entsprang die Idee, etwas großes in Szene zu setzen. Und dieses Große sind offensichtlich wir Menschen geworden. Denn nur wir Menschen haben die Fähigkeit und den Geist, unsere Umgebung, die Erde bewußt wahrzunehmen, und dazu den ganzen Kosmos mit einzuschließen und zu erforschen. Da gibt es noch viel zu entdecken. Ohne Menschen wäre die Erde und der ganze Kosmos nutzlos, denn niemand wäre da, der sich an dieser wunderbaren Welt erfreuen würde, den Kosmos miteingeschlossen. Daraus lässt sich schließen, dass das Bild eines Menschen schon vorher vorhanden war, bevor irgend etwas anderes im Universum entstand. Dieses in Gottes Vorstellung vorhandene Bild eines Menschen, welches als Objekt und Spiegelbild in materieller Form entstehen sollte, veranlasste Gott, der sich damals noch nicht als solcher fühlte, eine Umgebung in materieller Form für den Menschen zu bauen, auf

der er sich bewegen, und wie wir sehen, seine angeborene Kreativität und Liebesfähigkeit erleben kann. Diese Umgebung ist unser Planet und die faszinierenden unendlichen Weiten des Kosmos.
In welcher Form existieren wir?
Buchstäblich aus dem ursächlichen Staub, der sich nicht einmal materiell anfühlte, sondern bestenfalls als Antimaterie in Form von positiv und negativ geladenen Elementarteilchen in der dunklen endlosen Nacht zu dem geworden ist was wir sind. Was sind wir? Männer und Frauen, ein Plus- Pol und ein Minus- Pol; das ist Elektromagnetismus, eingebettet im Element der Liebe, die wir nicht erfunden haben, sondern sie wurde uns von Gott in die Wiege gelegt.
Jeder einzelne von uns Menschen ist nach seiner Geburt zunächst in der Wiege gelegen. Unsere Geburt verdanken wir unseren physischen Eltern, die auf Grund ihrer Liebe zueinander uns das Leben geschenkt haben. Diesen Vorgang können wir unzählige Generationen zurück verfolgen. Schließlich werden wir an dem Punkt ankommen, wo der erste Same des Lebens auf dem fruchtbaren Mutterboden der Erde seine Wurzeln schlägt und sich ausbreitet. Der erste Same war verborgen in der fernen Vergangenheit in Gottes polarer Wesenheit von Plus und Minus, als auch in fundamentaler Weise in seinem Inneren Charakter mit all seinen Fähigkeiten, und dem universellen Herz im Zentrum, sowie seiner äußeren Form, der universalen Ursprungskraft, deren feinstoffliche Materie das Material für die Entstehung des Universum mit dem Menschen im Zentrum lieferte. Das bedeutet, wir haben ein inneres Wesen, welches das Wesen Gottes widerspiegelt.
Wir können es geistiges Selbst oder höheres Selbst bezeichnen. Die Hauptmerkmale des geistigen Selbst sind Gefühl, Intellekt und Wille. Weiters haben wir eine äußere Form, unseren Körper, der als Mann oder Frau in Erscheinung tritt, und für die Durchführung unserer kreativen Ideen, die unserem Geiste entspringen, verantwortlich ist.

Was ist der Zweck dieses ganzen Unternehmens?

Der Mensch ist mit einem kreativen Geist ausgestattet, aus derm ständig Ideen verschiedenster Natur hervorsprudeln. Wenn die äußeren Voraussetzungen und die Willenskraft des Menschen vorhanden ist, so werden die Ideen in die Tat umgesetzt. Das Resultat sehen wir in der Entwicklung der Wissenschaften, der Technik und in den Künsten.
Jedes noch so kleine Teilchen einer Maschine, eines Hauses, oder eines Kunstwerkes, wurde aus dafür benötigten Materialen angefertigt und vollendet. Dabei kam es in der Vergangenheit, sowie auch heute zu Situationen, wo die Ideen aus gesundheitlichen Gründen oder anderen Ursachen nicht wie geplant vollendet werden konnten.
Das Grundkriterium ist jenes; so lang keine Idee, kein Plan und kein Zweck für eine bestimmte Idee vorhanden ist, wird auch nichts entstehen. Ein Haufen Material braucht jemanden, der dieses zu einem nützlichen, zweckdienlichen oder unterhaltenden Konstrukt für das Gesamtwohl zusammenfügt.
Das Universum hat unter den gleichen Voraussetzungen begonnen, sich in Bewegung zu setzen. Die feinstofflichen Elementarteilchen von Plus und Minus, haben auf Grund einer Idee mit ausgeklügelten Plan sich gefunden und elektromagnetische Energie durch eine wechselseitige Beziehung von Subjekt und Objekt aktiviert, und so den Kreislauf des Lebens in einem Atom in Gang gesetzt.
Die mikroskopisch kleine Zelle und sogar die noch viel kleineren Bakterien, beherbergen einen ausgeklügelten Bauplan, der alle notwendigen Organe beinhaltet, um einen Stoffwechsel zu etablieren,,' und noch erstaunlicher ist, dass winzigste Sexualorgane von männlich und weiblich vorhanden sind, die eine Paarung und somit Vermehrung ermöglichen. Wenn wir mit dem Elektronenmikroskop bis in den Zellkern vorstoßen, dann öffnet sich vor uns ein mikroskopisch kleines Universum, wo jedes Molekül einen speziellen Zweck und besondere Aufgaben zu erfüllen hat. Selbst winzige Fehlerquellen werden aufgedeckt und eliminiert.
Jede Zelle in unserem Körper ist mit einem bestimmten Zweck ausgestattet, den sie bedingungslos erfüllt. Somit ist unser Körper mit seinen rund 30 Billionen Zellen und noch mehr Bakterien ein Gesamtkunstwerk, wo jede einzelne Zelle ihre zugeortnete Aufgabe zum Wohle des gesamten Körpers bedingungslos erfüllt.
Je besser wir unsere Zellen, (in diesem Sinne unseren ganzen Köper) mit sauberen Materialeien füttern, um so besser und länger werden sie reibungslos funktionieren.
In diesem genial funktionierenden System können wir durch Paarung, welche Vermeh-

rung ermöglicht, die Kraft der Liebe erkennen, die als bedingungsloses Element, das gesamte Universum regiert.
In weiterer Folge wird durch geplantes hinzufügen weiterer Energie ein größeres Wesen konstruiert.
Eine genetisch größere Samenzelle von Plus und Minus paart sich, und wächst zu einem größeren Wesen heran. So wird durch zig-tausend Entwicklungen, die innerhalb der universalen Ordnung durch Paarung einher gehen, die Mannigfaltigkeit und Schönheit der daraus entstandenen Natur dem Menschen vor Augen geführt. Die Natur wurde für uns Menschen kreiert. Die Tatsache, dass wir in der Natur uns wohl fühlen und Freude an ihr empfinden, deutet darauf hin, dass jemand bei der Gestaltung dieses riesiegen Universums, den Gedanken in sich trug, Freude seinem Objekt, dem Menschen zu übermitteln. Die Ordnung, die Harmonie im Mineral-Pflanzen-und Tierreich, wo das Kleinere für das Größere lebt, zeigt uns Menschen wie die Liebe sich in den verschiedensten Formen, vom Einzeller bis zu den großen Tieren auf der Erde offenbart. Allein der Gedanke, dass wir uns auf der winzigen Erde im scheinbar unendlichen Kosmos fortbewegen, ohne dabei verloren zu gehen, sollte uns in Erstaunen und Ergebenheit, gegenüber unseren großen Meister und ewigen himmlischen Vater versetzen.
„Kinder des Weltalls" ist der Titel eines der Bücher von Hoimar von Dithfurt, dessen Bücher über den Ursprung des Universums mich Anfang der 1970er Jahre inspirierten und mir viele Antworten lieferten. Ich stellte auch fest, dass nicht alle Fragen, welche die Entwicklung des Lebens auf der Erde betreffen durch die erfundene Evolutionstheorie beantwortet werden konnten. Dieser Buchtitel ist auch ein kleiner Hinweis, dass wir Kinder unseres himmlischen Vaters sind, der das All aus seinem Innersten Wesen sichtbar gemacht hat. Öffnen wir all unsere Sinne, um diese Wunder des Lebens in unser Herz eindringen zu lassen.
Solch ein gigantischer zusammenhängender, bis ins kleinste Detail funktionierender Mikro-und Makrokosmos kann kein Ergebnis einer Evolution sein, sondern ist das Ergebnis des allumfassenden, innewährenden, absoluten, unendlich einfallsreichen Schöpfers, der uns Menschenkinder in die Position seiner Kinder gestellt hat. Mit der Hoffnung und Zuversicht, dass diese gemäß dem Prinzip der Schöpfung leben, wo das Kleinere sich für das Größere investiert, damit Freude und Erfüllung gedeihen kann.
Jede Zelle setzt seine innere Natur und Energie, laut Bauplan bedingungslos dafür ein, damit der ganze Körper wachsen, gedeihen und sich fortplanzen kann. Dafür wird auch jede Zelle von den vielen anderen Zellen im Körper mit Elementen versorgt, damit ihr Leben gesund erhalten bleibt.

Wie sieht dieses Muster in der menschlichen Gesellschaft aus?
Die Familie ist in der menschlichen Gesellschaft die kleinste Form, in der die Liebe, das Leben und die Fortpflanung aufrecht erhalten bleibt. Jede einzelne Familie stellt eine Zelle in der gesamten Weltbevölkerung dar. In jeder Zelle sind die Funktionen und Aufgaben untereinander aufgeteilt und arbeiten zusammen für das Wohlergehen der Zelle. Jede Familie besteht aus Mann und Frau und dem Wunsch Kinder zu bekommen.
Auch in der Familie können wir die Funktionen aufteilen
Die Zusammenarbeit zwischen Mann und Frau, wo die Liebe, auf höchsten Niveau im Kreislauf des Gebens und Empfangens erlebbar wird, entsteht eine Einheit in der kleinsten Form einer menschlichen Gesellschaft, nämlich in der Familie! Da wir Menschen mit Kreativität, Emotionen und einem freien Willen ausgestattet sind, die wir nicht selbst kreiert oder erfunden haben, sondern uns gegeben sind, ist die spirituelle Ebene mit der Einbeziehung von Gott als unseren himmlischen Vater die logische Voraussetzung für eine dauerhafte Liebesbeziehung zwischen Mann, Frau und Kinder. So kann jede Familie durch ihre induvidielle Kreativität, der Mann, die Frau und in der Folge auch die Kinder, ihre Fähigkeiten in ihrer Umgebung einfließen lassen, und eine Gesellschaft, eine Nation und eine Welt mit dauerhaften Frieden aufbauen. Fehlerquellen können schon im Frühstadium erkannt und behoben werden. Fehlerquellen sind hier mit egozentrischen Gedanken und Handlungen gemeint, die Menschen, aber auch der Natur in irgend einer Form Schaden zufügen.
Nochmals auf den Punkt gebracht:
Die dunkle Nacht des ursprünglichen Universums, mit seinem feinstofflichen Elementarteilchen von Plus und Minus, konnte erst in jenem Augenblick in Bewegung geraten, wo eine Idee, ein Plan, eine Richtung und ein Zweck gegeben ist.

Die elektromagnetischen Kräfte von Plus und Minus in den Elementarteilchen können nur dann in Aktion treten und ein Atom bilden, wenn sie von einer Motivation oder Zweck erfüllt sind, und die Sinnhaftigkeit ihrer beginnenden Aktion gewährleistet ist. Plus und Minus vereinigen sich, angeregt durch die universale Ursprungskraft, und bilden dabei ein Atom. Die Vereinigung von Plus und Minus ist ein grundsätzlicher Liebesakt auf der unteren Ebene des sich entwickelnden Universum. Was beinhaltet ein Liebesakt?
Das Wort Liebe ist darin enthalten, was braucht man um Liebe erleben zu können? Einen Objektpartner, mit dem man sich austauschen kann. Das Proton hat ein Elektron gefunden, und einen ewigen Kreislauf des Lebens begonnen. Ein Liebesabenteuer zwischen zwei Partikelchen, ein nie endender Freudentaumel auf der unteren Stufe des

lebendigen Universums. Das heißt: Liebe ist der innere Motor, gepaart mit der universalen Ursprungskraft, bilden diese beiden Hauptmerkmale Gottes, die Ursache jeglicher Aktion. Daher können wir sagen, dass Liebe eine ursächliche Kraft ist, die in der ersten Ursache ihren Ursprung hat. Daher ist Motivation und Zweck ebenfalls in der ersten Ursache verankert. Liebe entwickelte sich von der unteren Ebene während des gesamten Schöpfungsprozesses bis herauf zur Ebene des Menschen. Liebe in ihrer ursprünglichen Form ist grundsätzlich eine Gebende. Sie gibt, und füllt sich wieder auf, um wieder geben zu können.

Dies können wir in der Natur auf einfache Art feststellen:
Partikelchen sind der Stoff zur Bildung von Atomen.
Atome sind der Stoff zur Bildung von Molekülen.
Moleküle sind der Stoff zur Bildung und Nahrung von Pflanzen.
Pflanzen sind der Stoff und Nahrung für die Tierwelt.
Dem Menschen ist dies alles zur Verfügung gestellt. Deshalb ist es gut und wichtig, dass der Mensch Gott, seinem Schöpfer gegenüber dankbar ist, und so den Kreislauf des Lebens aufrecht erhält.

Die schöpferische Urkraft des Universums begann sich zu bewegen, im innersten Kern von einem Motor, Namens Herz erregt, entspringt ein emotionaler Gedanke, der die Dunkelheit des Universums zumindest gedanklich erzittern lässt. Der Urgeist Gottes, gefüllt mit Sehnsucht, Wissensdrang und Abenteuer, beginnt ein Bild in seinem Herzen, dem auch Weisheit und Verstand entspringt, zu kreieren. Ein Bild das seinem Wesenszügen entspringt. Eine ursächliche Kraft durchströmt den Kosmos. Ein Zentrum wird herausgebildet. Um Bewegung in den statischen Zustand zu bringen, der auf der emotionalen Ebene, und der Ebene des Intellekts sich Aufrecht erhält, sind zwei Komponenten erforderlich, die sich ergänzen. Das Endresultat dieser Gedankenwelt ist der Mensch auf dieser Erde. Dazwischen gab es zig-tausend Entwicklungsstufen vom Atom bis zum Menschen.

Woraus bestehen wir?
Aus vielen Atomen! Aus was besteht ein Atom?
Zumindest aus einem Proton und einem Elektron. Wobei das Proton das Zentrum bildet, und das Elektron um das Zentrum kreist. Damit die beiden sich finden und einen Kreislauf bilden, muß eine weitere Kraft vorhanden sein, die beide Elemente motiviert,

einen Kreislauf des Gebens und Empfangens, was einer Aktion gleich kommt, zu beginnen. Diese Kraft ist ursächlich und entspringt der Dynamik der Liebe. Sie ist eine gebende Kraft, und füllt sich wieder auf, nachdem sie gegeben hat. Sie entspringt dem Wesen Gottes unseres Schöpfers.
Was ist unserer innerer Motor, wenn wir etwas schaffen wollen? Was immer wir tun, tun wir für unseren Nächsten, in der Familie, der Gesellschaft, der Nation oder sogar für die Welt. Dies ist unser ureigenes Motiv, etwas zu tun. Die Erwiderung kann in vielfältiger Weise zum Ausdruck kommen. Warum die Erwiderung oft nicht stattfindet und gegenteilige Taten begangen werden ist ein eigenes Thema. Wir haben unser Leben von unseren physischen Eltern geschenkt bekommen. Durch ihre sexuellen Organe haben sie sich in Liebe vereinigt, und so neues Leben hervorgebracht.
Eine Samenzelle meines Vaters befruchtete eine Eizelle meiner Mutter. Dies ist ein gebender Akt. Darin enthalten sind nicht nur die Struktur und Funktionen meines Körpers, sondern auch mein Inneres Wesen, als Potential mit all meinen charakterlichen, intellektuellen und emotionalen Fähigkeiten.
Die Verschmelzung einer Samenzelle mit einer Eizelle ergibt ein neues Wesen von einzigartiger, unverwechselbarer Struktur; sowohl auf der körperlichen Ebene, als auch auf der geistigen-seelischen-emotionalen Ebene.
Wer hat uns mit solch einer Genialität ausgestattet? Sie stammt vom ursächlichen Wesen Gottes, dies ist jenes Wesen in dem die Summe aller Genialität des Universums und des Menschen verankert ist. Jede Samenzelle ist ein einzigartiges mikroskopisches Universum mit einer Struktur, Funktion und Präzision aus dem innersten Wesen unseres Schöpfer Gottes gestrickt. Ein schier unendlicher Ideenreichtum ist in jeden Samen bereits programmiert, und kommt durch einen Liebesakt auf der Erde zur Entfaltung.
So ist auch der Mensch aus einer Samenzelle und einer Eizelle herangewachsen und zu Adam geworden. Die Samenzelle entscheidet auch das Geschlecht bei der Empfängnis. Jeder Same besteht aus zwei Hälften, eine männliche und eine weibliche Hälfte. Die liegt auch in den männlichen und weiblichen Attributen Gottes, unseres Schöpfers und Zentrum des Universums begründet. Sämtliche auf der Erde existierenden Lebewesen basieren und funktionieren unter dem gleichen Prinzip. Wir haben männlich und weiblich, und in fundamentaler Weise einen inneren Charakter und eine äußere Form.
Vom inneren Ursprung Gottes bis zum Einzeller dauerte es Milliarden Jahre. Vom Einzeller bis zum Menschen nochmals viele hundert Millionen Jahre.
Kein Zufall kann auch nur das einfachste Lebewesen hervorbringen. Jede winzige Stufe in der Entwicklung ist ein Schöpfungsakt der Liebe, wo plus und minus, bzw. männlich

und weiblich sich vereinigen. Jede Aktion der Liebe setzt eine Motivation und Zweck voraus, wofür es sich lohnt, eine Aktion der Liebe durchzuführen. Für Gott gilt dasselbe. Er hat Baustein für Baustein geplant und durch die Kraft der Liebe zusammengefügt. Dadurch konnte das hineingelegte Potential beginnen zu wachsen, und seine Reife erlangen. Die Natur präsentiert sich anschaulich vor unseren eigenen Augen, in seiner ganzen Pracht und Herrlichkeit. Wir sind umgeben von einem liebenden Schöpfer, den wir Vater nennen dürfen, der uns eine Umgebung geschaffen hat, an Schönheit und Vielfalt, die uns immer mehr in Staunen und Bewunderung versetzt, je mehr wir sie betrachten. Ausgehend von einer Samenzelle, die z.B. eine Amöbe hervorgebracht hat, setzte Gott seine unendliche Schöpferkraft in Szene, die mit imposanten Werken, spielerischer Kleinkunst, schlauen Füchsen, lieblichen Blumen und Gewächsen, trompetenden Tieren bis zum Menschen, der in Summe alles in sich trägt, und das Zentrum für alles Lebendige darstellt. In jedem Samen verbirgt sich eine großartige Idee, dessen Vielfältigkeit wie in einem Orchester zum klangvollen Ambiente des Himmelreiches auf Erden heranreifen kann.
Der Mensch trägt den wertvollsten Samen in sich. Adam war das erste Geschöpf das heran wuchs, und diesen wertvollen Samen in sich trug. Eva war jenes weibliche Geschöpf, das als fruchtbarer Boden für Adams wertvollen Samen heran wuchs, und nach dessen geistiger und physischer Reife bereit war, Adams Samen zu empfangen. Adams Samen beinhaltete Gottes reines Herz ohne Makel und mit reinen Gedanken. Evas Sexualorgan war dazu geschaffen, der Boden für Adams Samen zu werden, der durch sein Sexualorgan in Evas Brutkasten verpflanzt werden konnte. Sie haben sich vermehrt. Aber was ist mit dem wertvollen reinen Samen Adams passiert? Die Welt ist grausam, Leiden herrscht seit Anbeginn der Menschheit auf Erden. Wo ist die ursprüngliche reine Liebe geblieben? Das reine Herz der Menschheit leidet, weil es mit Hass und Missgunst verseucht ist. Wo liegt die Ursache?
Jede befruchtete Eizelle, unabhängig ob es sich um eine pflanzliche, eine tierische oder eine menschliche Zelle handelt, beginnt ab dem Zeitpunkt der Befruchtung zu wachsen. Gemäß seinem inneren Plan beginnt die Zelle zu wachsen, und bildet jene Form heraus, die in seinem winzigen Potential von Gott unserem Schöpfer und Designer hineingelegt wurde. Die Voraussetzung für das Wachstum dieses vereinigten Wesens einer Samenzelle mit einer Eizelle ist die Zufuhr entsprechender Nährstoffe. So kann dieses vereinigte Lebewesen in einer geschützten Umgebung in der Pflanzenwelt, der Insektenwelt, der Tierwelt und beim Menschen eben im Mutterleib heranwachsen, bis es zur Geburt des jeweiligen Spezies kommt. Sobald nun der Körper eines Lebewesens

seine Zeitperiode des Wachstums vollendet hat, erreicht es auch seine sexuelle Reife und ist bereit sich fortzupflanzen. Dies gilt in gleicher Weise für männliche als auch weibliche Wesen. Auch der menschliche Körper wächst unter den gleichen Bedingungen zu seiner Reife heran.
Was ist nun der Unterschied zwischen dem Potential des Menschen und der restlichen Schöpfung?
Nun, der Mensch ist mit einer Schöpferkraft, mit einem Geist und einem freien Willen ausgestattet, der es ihm ermöglicht, die Schöpfung zu gestalten, zu formen und dem Schöpfungsplan Gottes entsprechend zu regieren.
Das Zentrum unseres inneren Wesens ist unser geistiges Gemüt, das von der Kraft der Liebe angetrieben, uns in Richtung des Wahren, Schönen und Guten leitet. Wenn ein Mensch in die Versuchung getrieben wird, etwas zu nehmen was nicht sein Eigentum ist, so unternimmt er alles, um nicht entdeckt zu werden. Das heißt er macht dies im Verborgenen, um nicht aufgedeckt zu werden. Im Innersten seines Herzens spürt er, das sollte ich eigentlich nicht tun. Sein Gewissen rührt sich, und macht ihn aufmerksam dies nicht zu tun.
Woher kommt das Gewissen:
Es hat seinen Wohnsitz in unserem innersten Kern, auch geistiges Gemüt genannt, und ist die eigentliche Wohnstätte Gottes, unseres himmlischen Vaters.
Bibel: 1. Kor. 3:16 ***Wisst ihr nicht, dass ihr Gottes Tempel seid und der Geist Gottes in euch wohnt?***
Da Gott das Zentrum wahrer, selbstloser Liebe ist, und er in uns wohnt, fühlt sich Gott als unser Vater unwohl, und es schmerzt ihn, wenn wir Gedanken und Handlungen setzen, die dem Prinzip wahrer selbstloser Liebe widersprechen. Wir spüren das durch unser schlechtes Gewissen. Was ist Wahr und Schön? Während unserer Pubertät entdecken wir unseren eigenen Körper, gleichzeitig wird das Interesse am anderen Geschlecht wachgerüttelt. Das heißt, wir finden im anderen Geschlecht, das Wahre, Schöne und Gute. Dieser Prozess findet in jeden Menschen in den Jahren der Pubertät statt. Das bedeutet, wir haben alle den gleichen Ursprung in Gott, der uns mit diesen geistigen und physischen Elementen ausgestattet hat. Unser geistiges Selbst ist auch mit einem Sender und Empfänger ausgestattet, der es uns ermöglicht, mit unserem Ursprung Gott, der ebenfalls ein geistiges Wesen ist, zu kommunizieren. Da wir alle die Sehnsucht in uns tragen, Liebe zu geben und Liebe zu empfangen, muss auch Gott dieselben Empfindungen in sich tragen.Somit kommen wir zu dem Punkt, dass wir Gott sehr ähnlich sind, und dadurch seine Gefühle, seinen Willen und sein Herz empfinden

können. Das heißt, wir haben das Potential auf dieser Herzensebene mit ihm eins zu werden.
Gen.1:27 ***Gott schuf also den Menschen als sein Abbild;: als Abbild Gottes schuf er ihn. Als Mann und Frau schuf er sie.*** *Math. 5:48* ***Ihr sollt also vollkommen sein, wie auch euer himmlischer Vater vollkommen ist.***
Wir sind von verschiedenen unsichtbaren Strahlen und Wellen umgeben. Z.Bsp. Die Radiowellen, ein Sender strahlt Informationen aus, und ein Gerät namens Radio kann diese Informationen empfangen und für das physische Ohr hörbar machen; vorausgesetzt die Frequenzen des Senders und des Empfängers stimmen überein.

Offensichtlich stimmen die Frequenzen unseres Geistes mit den Frequenzen Gottes unseres Ursprungsenders nicht überein, sodass Störfaktoren die Beziehung zwischen Gott und Mensch seit Anbeginn der Menschheit trüben.
Was ist passiert?
Wenn wir unser Leben betrachten, und auch nur irgend einen Tag herausnehmen, und uns fragen, was ist das Wichtigste an diesem Tag gewesen? Es mag eine Prüfung erfolgreich bestanden sein, im Beruf ein erfolgreicher Tag gewesen sein, es könnte auch ein guter Job verloren gegangen sein, oder ein Unglück passiert sein, was auch immer uns widerfährt: Wie gehen wir mit der Situation um? Werden wir im Glücksfall überheblich, oder sehen wir im Unglücksfall keine Hoffnung? Hinter einem Blick, oder einem Gespräch mit einem lächeln, verbirgt sich die Liebe. Liebe ist das einzige, was unserem Leben einen Wert, und Erfüllung verspricht. Sie ist so zart, wie dünnes Glas, sodass sie auch nur durch ein unpassendes Wort zerbrechen kann. Sie ist wie eine Frucht, wenn sie zu früh gegessen wird, schmeckt sie bitter, wenn die Frucht jedoch die volle Reife erlangt hat schmeckt sie süß und himmlisch. Jedes Lebewesen ist die Frucht einer Liebesbeziehung zwischen Mann und Frau beim Menschen, zwischen männlich und weiblich in der Tierwelt, zwischen Staubgefäß und Stempel in der Pflanzenwelt, zwischen positiv und negativ in der Mineralwelt bis zu den Atomen. Jedes Glück oder Unglück hat eine Ursache: Diese Ursache kann aus meinen eigenen Gedanken und Handlungen entspringen, egal, ob es sich um ein freudiges, oder ein trauriges Ereignis handelt. Es können auch äußere Umstände aus meiner Umgebung, oder Ereignisse aus früheren Zeiten, die eine Lösung eines Problems suchen oder herbeiführen, als Ursache verstanden werden. Was immer auch passiert, in beiden Fällen, ob freudig, oder leidvoll haben wir die Möglichkeit daraus zu lernen, und unser Herz weiter zu entwickeln in Richtung des Wahren, Schönen und Guten, denn diese Charakteristiken haben ewigen Bestand,

und halten in Phasen des Erfolgs den Menschen auf der gerechten Bahn, und bei traurigen Ereignissen hilft uns dieses Verständnis die Schmerzen in unserem Herzen aufzulösen. Dass sich der Mensch seit Anbeginn der Zeiten am Rande zwischen Glück und Unglück befindet, können wir an der kriegerischen Geschichte, angefangen in der Familie, der Gesellschaft, der Nation und der Weltebene ablesen.
Irgend etwas spießt sich seit Menschengedenken in der Beziehung zwischen Mann und Frau. Die Liebe wird mit Füßen getreten, schlecht behandelt, vergewaltigt, durch den Schmutz gezogen, sowohl in früheren Zeiten, als auch heute.

Der Fall des Menschen

Um die Ursache herauszufinden, müssen wir bis zum Ursprung der Menschheit gelangen. Die Geschichte vom Sündenfall in der Bibel, gibt uns einige Hinweise, um dem Konflikt auf die Spur zu kommen.
Zwei Bäume sind beschrieben: Gen. 2:9
Machen wir zunächst nochmals einen Blick in die Natur.
Wo beginnt Leben sich zu entwickeln?
Der Bauer sät den Samen von allerlei Getreide und Früchte in die Erde. Im Mutterschoß der warmen Erde mit ihren vielen Nährstoffen, ist der Same geschützt und beginnt zu wachsen. Er schlägt Wurzeln, wird zu einer Pflanze oder einem Baum, mit Wurzlen, Stamm, Zweigen und Blätter, gemäß seiner inneren Struktur (Bauplan). Beim Menschen funktioniert dies unter dem gleichen Prinzip. Eine Samenzelle befruchtet eine Eizelle. Diese Einheit beginnt im geschützten Mutterleib zu wachsen, gemäß seiner inneren Struktur (Bauplan). Als Resultat kommt bei jeder Pflanze, in der Tierwelt und beim Menschen eine Frucht zum Vorschein.
Was ist nun die Vorausetzung für das Entstehen einer Frucht?
Es ist die Kraft der Liebe, die all die Früchte hervorbringt.
Bei uns Menschen die Liebe zwischen Mann und Frau, so auch in der Tierwelt zwischen männliche und weibliche Tiere.
In der Pflanzenwelt zwischen Staubgefäße und Stempel, sowie Kation und Anion in der molekularen Welt.
Im Laufe des Wachstums kommt es in der Natur zur Blüte der verschiedenen Pflanzen. In der Tierwelt ist dies die Zeit der sexuellen Reife, verbunden mit der Partnersuche und

Paarung. Bei uns Menschen kommt zur sexuellen Reife des Körpers, die Entwicklung unseres Herzens, unseres Charakters dazu. Das bedeutet:
Dass wir unser inneres Wesen, unser ursprüngliches Gemüt, das in unserem Herzen, in unserer Seele innewohnt, mit dem Herzen Gottes, unseres Schöpfers und Vaters im Einklang bringen.
Jede Frucht, jedes Lebewesen erreicht nach Vollendung seines Wachstumsprozesses seine Reife und erfüllt somit den Zweck seines Daseins.
Jegliches Lebewesen ist darauf bedacht, die Aufrechterhaltung und Vermehrung seiner Spezis zu gewährleisten. Zugleich steuert jedes Lebewesen seinen Beitrag dazu bei, um das gesamte ÖKO-System aufrechtzuerhalten.
Die Liebe ist das grundlegende Element und die Kraft zwischen männlich und weiblich, um das Leben mit seinen verschiedensten Formen aufrechtzuerhalten. Somit ist die Natur ein Theater der Liebe auf den verschiedensten Ebenen in der wir uns Menschen wohl fühlen.
Jeder Mensch ist die Frucht einer Liebsbeziehung zwischen Mann und Frau. Hier kommt die Liebe Gottes in sichtbarer Form zwischen Mann und Frau im höchsten Maße zum Ausdruck.
Aber die Liebe ist seit Anbeginn, soweit wir zurück denken können, mit Konflikten und schmutzigen Geschäften überschattet. Machen wir nun einen Blick in die Bibel:
In der Genesis 2:9 sind zwei Bäume beschrieben.
Der Baum des Lebens, und der Baum der Erkenntnis von Gut und Böse. Weiters haben wir es mit der Frucht des Baumes der Erkenntnis zu tun, und mit der Schlange. Wie wir wissen, entsteht durch eine Liebesbeziehung zwischen männlich und weiblich eine Frucht, die in der Folge bis zur Reife heranwächst. Beim Menschen ist die Frucht ein Baby, das zunächst im Mutterleib heranwächst, und nach der Geburt unter der Fürsorge der Eltern zu seiner vollen körperlichen und geistigen Reife heranwächst.
Was wird in der Bibel beschrieben?
Die Schlange reicht Eva die Frucht des Baumes, und gibt ihr vor, sie würde dann Gott schauen, und erkennen was Gut und Böse ist. Gott hatte beiden zuvor verboten, von der Frucht zu essen, ansonsten würden sie des Todes sterben. Nach einigem Zögern, aber von den überzeugenden Worten des imposant wirkenden Engels hingerissen, nimmt Eva die Frucht, isst davon, und reicht sie Adam weiter, der ebenfalls davon isst. In der Folge ruft Gott nach Adam! Wo bist du?
Beide, Adam und Eva verstecken sich hinter einem Baum und verdecken ihre sexuellen Körperteile. Auf Grund des Essens der verbotenen Frucht, vertreibt Gott beide aus dem

Paradies. Was ist passiert! Wir wissen, eine Frucht ist das Ergebnis einer Liebesbeziehung. Adam und Eve bedeckten nach dem Essen der Frucht ihre sexuellen Körperteile, was darauf schließen lässt, dass sie mit ihren Sexualorganen die Übertretung des Gebots verübt hatten. Das bedeutet, Gott wollte verhindern, dass Beide zu früh von der Liebe zwischen Mann und Frau aufmerksam wurden.
Wer war der Engel! Er war ein geistiges Wesen, der mit den Menschen sprechen konnte und ihn sogar verführt hatte. In der Schöpfung sind nur Engel als geistige Wesen, und als Diener Gottes bekannt. Sie sind beauftragt den Menschen zu dienen und zu beschützen. Jener Engel der zu Eva herantrat war Luzifer, auch Lichtträger benannt. Das heißt, er wußte über viele Dinge der Schöpfung bescheid. Als Diener Gottes und zentraler Engel (Erzengel) genoss er eine besondere Stellung in der geistigen Welt, und wurde auch deshalb von Gott mit der Liebe, die einem Diener in zentraler Position zusteht reichlich versorgt. Adam und Eva wurden aber als Kinder Gottes geboren. Sie genossen, als sie heran wuchsen, die viel innigere Liebe als Kinder Gottes, unseres himmlischen Vaters. Das irritierte Luzifer, indem er das Gefühl entwickelte, weniger Liebe von Gott zu erhalten als vorher.
Luzifer wusste, dass Adam und Eva als Kinder Gottes geboren wurden, und in dieser Position das Zentrum der Schöpfung werden sollten. Durch Luzifers gefühlsmäßige Mangelerscheinung an göttlicher Liebe, entwickelte er Ich-bezogene Gedanken, selbst diese Position zu erlangen. Um dieses Ziel zu erreichen versuchte er Eva für sich zu gewinnen, um Adam als künftiges Zentrum durch Eva zu Fall zu bringen. Eva war als weibliches Wesen für Luzifer als sie heran wuchs besonders attraktiv geworden. So versuchte er ihre Liebe wachzurütteln, indem er ihr versprach, durch das Essen der Frucht würden ihr die Augen aufgehen, und wie Gott sein ... Eva konnte den attraktiven, mit List verpackten Sprüchen des Engels nicht widerstehen, und ließ sich auf eine Liebesbeziehung mit dem Engel ein. Der Engel wusste um seiner falschen Handlung Bescheid, doch seine Gedanken und Gelüste waren nur noch darauf ausgerichtet, den Menschen zu beherrschen und so Herr über die Schöpfung zu werden.*Bibel: Gen. 3,1-24*
Der Mensch war jedoch geboren, um Herr über die Schöpfung und über die Engel zu werden. Dazu musste er sich auch qualifizieren, indem er dem Wort Gottes, dem Gebot gehorcht, und nicht dem Wort eines anderen, dem Engel. Adam und Eva bestehen in ihrer Gesamtstruktur als ein geistiges Wesen mit einem geistigen Körper, Gefühl, Intellekt und Wille, sowie einem physischen Körper. Ideen Wünsche und Vorstellungen, die aus unserem Geiste entspringen, können wir mit unseren physischen Körper in die Tat umsetzen.

Die Engel sind geistige Wesen mit einem geistigen Körper, der ebenfalls mit Intellekt, Gefühl und Wille ausgestattet ist. Dadurch ist es möglich, dass der Engel Luzifer eine sexuelle Beziehung mit Eva auf geistiger Ebene vollzog. Der Engel hatte seine schlechten Gefühle, wie Eifersucht und Neid, seinen Drang über den Menschen zu Herrschen durch den Akt der Liebe auf Eva übertragen. Eva ging nun zu Adam, und versuchte auf Grund ihrer schlechten Gefühle, bei Adam Trost zu finden. Ihr Gewissen hat sich bei ihr mit Angst und Schrecken gemeldet, und sie wollte dieses wieder los werden. In ihrer Verzweiflung suchte sie Adam, der in Evas Augen noch rein von diesen schlechten Gefühlen war. Jetzt erkannte sie, dass eigentlich Adam ihr rechtmäßiger Partner werden sollte, und überredete Adam in ihrer Not, ohne dabei an Gott und an das Gebot zu denken eine sexuelle Beziehung mit ihm einzugehen. Aber auch Adam konnte zu seiner Überraschung, vielleicht auch Verwirrung, den versuchen Evas nicht widerstehen, und ohne bei Gott Rücksprache zu halten, ging er eine sexuelle Beziehung mit Eva ein. Sie vereinigten sich sexuell auf physischer Ebene, und versiegelten die Katastrophe, die über sie hereinbrach. Durch diese beiden sexuellen Beziehungen pflanzte Luzifer seine egozentrischen Gedanken und Gefühle der Eifersucht, des Neides, des Machtstrebens, in Evas Schoß, und in Folge auch auf Adam. Auch Adam wurde mit all den schlechten Gefühlen überwältigt, die sich durch die Vereinigung mit Eva auf ihn übertragen hatten, und Beide versteckten sich aus Furcht vor Gott hinter einem Baum. Der Mensch hat die Eigenschaft, jenen Gegenstand zu verdecken, mit dem er eine Missetat begangen hat. Das Gewissen, das im Herzen des Menschen verankert ist, und das gute Herz Gottes repräsentiert, bäumte sich vor Schmerz auf, und verursachte das schreckliche Unbehagen von Adam und Eva. Gott vertrieb sie aus dem Garten Eden, das bedeutete, sie verloren den keimenden Faden der lebendigen Beziehung mit Gott, der wieder schwächer und schwächer wurde. Das Resultat, war die totale Umkehr. Satan übernahm die Vaterschaft der falschen Liebe, und wurde der Vater dieser falschen Liebe.
In jedem von uns fließt das Blut unserer Eltern, und unzähligen Vorfahren, das bis zu Adam zurückreicht. Luzifer, der zu Satan wurde, ist der Ausgangspunkt dieser falschen beschmutzen Blutslinie. Die gesamte Menschheit hat bis zum heutigen Tag mit den schlechten Gefühlen wie Selbstsucht mit all seinen Auswirkungen bis zum Mord und Unzucht zu kämpfen. Was war das Verbrechen Luzifers? Er hat Eva, die zukünftige Braut Adams gestohlen, missbraucht, mit List vergewaltigt und geistig ermordet. Sie ist des geistigen Todes gestorben. Das heißt; die noch nicht vollständig entwickelte Beziehung des Herzens zwischen Gott und Eva begann zu zerbrechen. Das gleiche passierte mit Adam.

Luzifer ist der erste Ehebrecher in der Geschichte. Die ersten Kinder von Adam und Eva, Kain und Abel, auch alle weiteren Kinder waren die Früchte, die Adam und Eva hervorgebracht haben. Kain war besonders von Groll und Eifersucht belastet, da er auch als Erstgeborener die total falsche Beziehung zwischen Luzifer und Eva verkörperte. Während Abel der Zweitgeborene die von Gott vorgesehene Beziehung zwischen Mann und Frau repräsentierte, aber unter falschen Vorzeichen. Welche falsche Vorzeichen? Nämlich, nicht Gott hat sie in ihrer verfrühten Beziehung gesegnet, sondern Luzifer, der bereits seinen falschen Samen in Evas Schoß pflanzte, gab die Anleitung zum Liebesakt zwischen Adam und Eva. Kain und Abel, die beiden Brüder wurden von Gott beauftragt, ein Opfer darzubringen. Da Kains Opfer von Gott nicht angenommen wurde, schlich sich Kain fort, und Zorn überwucherte sein Herz, was dazu führte dass er Abel auf dem Feld erschlug. *Gen. 4, 1-16*

Der erste physische Mord in der ersten menschlichen Familie ist passiert. Gott musste dem ganzen Geschehen zusehen, da er die Verantwortung des Menschen, auf sein Wort zu hören nicht abnehmen kann, denn sonst würde er dem Menschen die Qualifikation als Herrscher in Liebe über die Schöpfung nehmen. Diesen quälenden Kummer im Herzen Gottes können wir nur erahnen und fühlen, wenn wir daran denken, wie es Eltern geht, die ihr einziges Kind durch einen Verbrecher verlieren.
Bibel: Kummer Gottes Gen. 6,5-6 ***Der Herr sah, dass auf der Erde die Schlechtigkeit des Menschen zunahm, und dass alles Sinnen und Trachten seines Herzens immer nur böse war. Da reute es den Herrn, auf der Erde den Menschen gemacht zu haben, und es tat seinem Herzen weh.***
Warum ist die Menschheitsgeschichte, soweit wir sie kennen, so verlaufen wie sie ist? Hätte es auch einen anderen Verlauf geben können, ohne Konflikt und Kriege, angefangen in der Familie, weiter auf der Stammesebene, in der Gesellschaft, Nationen bis zur heutigen weltweiten Ebene.
Der Auftrag Gottes an Kain und Abel, ein Opfer darzubringen, deutet darauf hin, dass Gottes kummervolles Herz sofort bemüht war, den Menschen, seine geliebten Kinder aus der zwiespältigen Lage wieder herauszuführen. Wie wir schon besprochen haben, wurde der Mensch als Kind Gottes in eine Position hineingeboren, in der er das Potential in sich trägt, zum Herrn über die Schöpfung heranzuwachsen. Somit ist der Mensch selbst verantwortlich für seine Entscheidungen, die er trifft. Während des Wachstums war es der Auftrag des Engels, Adam und Eva bei der Erkundung ihrer Umgebung behilflich, und als eine Art Lehrer zur Verfügung zu stehen. Dies nutzte Luzifer aus, um seine

aufkeimenden Gefühle, weniger von Gott geliebt zu werden als zuvor, besonders in der Beziehung zu Eva zu kompensieren. Gott gab den Menschen Vorgaben, nicht voreilig von der Frucht des Baumes zu essen, was bedeutet, nicht von der Liebe zu kosten, da er sonst des Todes sterben würde.
Der Mensch kostete, und aß!
In welche Todesfalle sind sie geraten?
Der Tod bezieht sich hier auf ihr geistiges Leben, nämlich ihre lebendige Beziehung zu Gott, ihren Vater. Die verführerischen Gedanken, die Luzifer während des Heranwachsens von Adam und Eva entwickelte, veranlassten Gott zusätzlich sicherheitshalber das Gebot zu geben, nicht von der Frucht zu essen, da dies katastrophale Folgen haben würde. Adam und Eva riskierten den Tod, da die Liebe zwischen Mann und Frau die stärkste Kraft im Universum ist und selbst den Tod nicht fürchtet. Dadurch kann sie auch die größte Freude und Glücksgefühle im Menschen auslösen. Was aber anschließend geschah, als sie das Gebot übertraten, waren keine Glücksgefühle, sondern Angst und schlechtes Gewissen, da sie sich ihrer Übertretung bewußt wurden. Gott wollte sie, nachdem sie ihre volle Reife geistig und physisch erreicht haben verheiraten, in der Ehe segnen, indem sie ihre eigenen Kinder bekommen, und selbst zu Eltern werden. Somit hätte sich die erste Familie gebildet, ein Familienideal, das unserem innersten Wunsche entspricht, den wir von unserem Ursprung, Schöpfer Gott und Vater herleiten können. Unser himmlischer Vater hatte aber nicht die Möglichkeit sein reines aufopferndes und liebendes Herz, das in der Sexualität zwischen Mann und Frau zum Ausdruck kommt in der Phase des Wachstums voreilig zu übermitteln. Sie sollten sich ja qualifizieren, als seine Kinder Herrscher über die ganze Schöpfung zu werden, auch über die Engel, die in der Position des Diener Gottes und des Menschen eingesetzt wurden. Die Familie wäre Gottes Ideal der Liebe geworden, nachdem Adam und Eva herangereift, in der Ehe gesegnet worden wären, und die Herrschaft der Liebe mit Gott im Zentrum angetreten hätten.
Gen. 1:28 ***Gott segnete sie und sprach zu ihnen, seid fruchtbar und vermehret euch, bevölkert die Erde, unterwerft sie euch und herrscht über die Fische des Meeres...***
Wenn Adam und Eva im Herzen eins mit Gott geworden wären, dann hätten sie die gesamte Schöpfung mit Liebe und Verständnis behandelt, und kultiviert. Statt dessen hat Luzifer seine egozentrische Begierde und Sexualität zuerst Eva schmackhaft gemacht, und dann auf Adam übertragen. Beide haben sich von der List Luzifers überrumpeln lassen, und Gott alleine gelassen, indem sie den egoistischen Gelüsten Luzifers, der zu Satan wurde folgten. Somit ist Satan der Erfinder egozentrischer Gedanken, ego-

zentrischer Gelüste und egozentrischer falscher Liebe geworden. Er ist zum Vater, Herr und Fürst dieser Welt geworden. Eine Position, die eigentlich dem Menschen anvertraut wurde. Der Diener Gottes hat sich zum falschen Herrscher über den Menschen aufgespielt.
Joh. 8:44 ***Ihr habt den Teufel zum Vater, und ihr wollt das tun, wonach es euren Vater verlangt.***

Wie kann Gott und Mensch diese fürchterliche Situation wieder bereinigen?
Es ist ganz natürlich, wenn ein Mensch eine Tat in Gedanken, Worten und Werken begeht, die eine andere Person einen Schaden zufügt, für diese Tat gerade stehen, und den Schaden in angemessener Weise wiedergutzumachen hat. Genauso verhält es sich zwischen Gott und Mensch. Für die Verfehlungen, die der Mensch Gott gegenüber beging, verursacht durch die listigen Worte Satans, muss der Mensch in einer bestimmten Form Wiedergutmachung leisten. Das bedeutet:

Der Mensch war dem Wort Gottes (das Gebot einzuhalten) ungehorsam, und folgte dem Wort Satans. Der Mensch muss nun als Wiedergutmachung dem Wort Gottes folgen, und nicht dem Wort Satans. Da der Mensch durch den Fall das Wort verloren hat, ging die Beziehung zwischen Gott und Mensch in Brüche. Wie kann der Mensch nun das Wort Gottes wieder empfangen? Adam und Eva haben sich durch ihren Ungehorsam disqualifiziert, und sich mit Satans falscher Liebe, seiner falschen Blutslinie beschmutzt. Sie besitzen nun einerseits das ursprüngliche Gemüt Gottes, das nach dem Wahren Schönen und Guten strebt, andererseits hat sich Satans egozentrisches böses Gemüt in den Herzen von Adam und Eva eingenistet, das ständig im Widerspruch zum ursprünglichen Gemüt steht, und unvermeidlich einen Konflikt im einzelnen Menschen hervorruft. Dadurch sind Adam und Eva eine Mischung von Gottes guten Elementen, und Satans bösen Elementen geworden, und gaben diese durch die Blutslinie an ihre Kinder weiter.
Die Kinder erbten nun die ursprüngliche Blutslinie Gottes und die zerstörerische egoistische Blutslinie Satans. Um reines Blut, (reine Blutsline) wieder zu erlangen, muss die Liebe bereinigt werden. Aus dieser Notwendigkeit war es für Gott unausweichlich einen Menschen der die Reinheit Adams vor dem Fall in sich trägt, zu finden, oder zu etablieren.
Daraus hat sich das Wort Messias ergeben, das bedeutet Erlöser, Gesalbter ohne Makel und König. Solch einem Menschen kann Gott wieder das Wort um den gesamten

Zweck der Schöpfung, und sein Erlösungswerk vermitteln. Der erste versuch Gottes, den Menschen wieder zu sich in den Bereich der Wahren Liebe zu bringen, war der Auftrag Gottes an die beiden ersten Söhne Adams und Evas, Kain und Abel. Beide sollten ein Opfer darbringen. Was beide vermutlich auch gewissenhaft durchführten. Doch Gott nahm nur das Opfer Abels an, und das von Kain lehnte er ab. Es musste einen wichtigen Grund geben haben, warum Kain's Opfer abgelehnt wurde. Wir alle sind geboren, weil wir Eltern haben.
Wir haben ein gewisses Erbgut von unseren Eltern und den vielen Vorfahren erhalten. Das Erbgut beinhaltet die physischen und geistigen Erbanlagen. Jeder Mensch ist mit einem ursprünglichen Gemüt ausgestattet, das ihn veranlasst Gutes zu tun, woraus Freude und Glück entspringt. Andererseits tragen wir Eigenschaften in uns, die das Gegenteil bewirken, und uns in Richtung des Bösen führen. Daraus resultierend werden wir mit Schwierigkeiten und Konflikten konfrontiert.

Röm. 7:19 Paulus beklagt seine Situation indem er sagt: ***Ich tue nicht das Gute das ich will, sondern das Böse das ich nicht will.***
Der Anfangspunkt dieser unausgereiften egozentrischen Gedanken und Handlungen liegen dem Fehlverhalten unserer ersten menschlichen Vorfahren, Adam und Eva zu Grunde. Durch die Blutslinie werden sämtliche Anlagen von den Vorfahren auf die Nachkommen übertragen. So gesehen hat Luzifer seine egoistischen, machtstrebenden Gedanken durch die sexuelle Beziehung zu Eva auf sie übertragen, und Eva ihrerseits diese an Adam durch eine unerlaubte vorzeitige sexuelle Beziehung mit Adam weitergegeben.

Die gesamte Menschheit ist bis heute mit den Auswirkungen dieser fatalen Fehlentscheidung belastet, und befindet sich ständig am Rande des Abgrunds. Der unsichtbare Feind Gottes und des Menschen „Satan" versucht ständig durch schlechte Gedanken, die in Worte gekleidet werden, und in zerstörerischen Taten enden, den Menschen in seinen Bann zu ziehen. Dasselbe tut Gott, und versucht den Menschen wieder an sich zu ziehen, indem er durch opferbereite Menschen Anleitungen für ein Leben des Guten vermittelt. Die herausragende Person in der menschlichen Geschichte die wir kennen ist Jesus Christus. Den wir als Messias und Erlöser kennen. Bevor wir sein Leben durchleuchten, zunächst zurück zu Kain und Abel.

Die Aufzeichnungen in der Bibel, geben uns einen klaren Hinweis, dass Gott sogleich nach dem Fall von Adam und Eva begonnen hat, mit Kain und Abel an der Wiederherstellung der ursprünglichen Ordnung zu arbeiten. Obwohl dieses Ereignis Äonen von Jahren zurückliegt, finden wir Aufzeichnungen darüber in der Bibel.
Gen. 4, 1-6 ***...da überlief es Kain ganz heiß, und sein Blick senkte sich...***
Wie wir in der Bibel lesen können, entwickelte Kain, nachdem sein Opfer nicht angenommen wurde einen Groll gegenüber seine Bruder Abel, der soweit führte, dass Kain ihn eines Tages am Feld erschlug. Solche Geschichten können wir auch heute noch in Familien, Gesellschaften Nationen rund um den Globus erleben. Kain war frustriert wegen seines nicht angenommenen Opfers.
Kain wäre es sicher leichter gefallen, seinen Frust gegenüber Abel zu überwinden, wenn er Worte des Trostes, der Hilfestellung von seinem Bruder, oder auch von seinen Eltern bekommen hätte. Davon wird aber in der Bibel nichts berichtet. So stand er alleine da mit seinem Groll, und konnte ihn nicht überwinden, obwohl Gott ihn dazu ermutigt hatte. So passierte es, dass er voll Wut und Zorn seinen Bruder ermordete, den Gott in dieser Situation während der Opferung als seinen Mittelsmann benutzte. Dies deshalb, weil Abel als Zweitgeborener die Beziehung zwischen Adam und Eva symbolisierte, welche rechtmäßig ist, aber zu früh passierte. Während Kain eine prinzipwidrige Beziehung zwischen Luzifer und Eva symbolisierte. Gott verlor somit seinen Champion als Abelfigur für die Wiederherstellung der göttlichen Ordnung. Satan behielt dagegen seinen Champion, um seine Herrschaft auf der Erde auszubreiten.
Seth, der dritte Sohn von Adam und Eva wurde nun zum Vorfahr auf dessen Erblinie nach vielen tausenden von Jahren Noah als rechtschaffener Mann von Gott erkannt, und für eine besondere Mission betraut wurde. Die Nachkommen von Kain als auch der übrigen Geschwister vermehrten sich auf der Erde, und die geistige Wahrnehmungsfähigkeit wurde schwächer und schwächer, sodass die Menschen in einen Status der Unmoral versanken, der niedriger als jener der Tiere angesiedelt war. Tiere haben auf den verschiedenen Ebenen ein gewisses Begriffsvermögen, was Verhalten und Fortpflanzung betrifft. Es ist eine klare Ordnung im ökologischen System vorhanden, das sich seit Jahrmillionen aufrecht erhält.

Der Mensch ist in einem Abgrund versunken, der einer völligen Gottesferne gleichkommt, so wie sie in der frühen Steinzeit vorzufinden war. Auf Grund des abnormen unmoralischen Verhaltens der Menschen in den frühen Zeitepochen,(können wir auch heute noch beobachten) deren geistigen Zustand wir als Tod bezeichnen können, war es für Gott extrem schwierig, eine Art von Verbindung wieder herzustellen. Doch durch das Streben des geistigen Gemüts des Menschen, welches von Gott in das Herz des Menschen gepflanzt wurde, war es Gott möglich im Laufe langer Zeitabläufe mit rechtschaffenen und nach dem Guten suchenden Menschen wieder eine Verbindung aufzunehmen.

Noah war der erste uns bekannte Mensch mit dem Gott kommunizieren konnte.
In der langen Zwischenzeit mag es gute und hoch entwickelte Zivilisationen und Kulturen gegeben haben, denen vermutlich das gleiche Schicksal auf stammes, nationaler oder internationaler Ebene passiert ist, wie damals auf familiärer Ebene mit Kain und Abel. Wodurch Kulturen wieder zugrunde gingen, und Gott von neuem auf einem geschützten Platz der Erde sein Erlösungswerk fortsetzte. Das Atlantis Rätsel und weitere Kulturen dieser Epochen sind Phänomene, welche die Archäologie in den Bann zieht.

Noah war der erste uns bekannte Glaubensvater, der von Gott mit einer besonderen Mission beauftragt wurde. *Bibel: Gen. 9, 1-17*
Doch wiederum war es ein Familienmitglied, in Noahs Familie der zweite Sohn Ham, der ein Fehlverhalten zeigte welches Noah veranlasste Ham zu verfluchen, was zur Folge hatte, dass Noahs Glaubensfundament, der Bau der Arche für Gott verloren ging. Noahs erster Sohn Sem, wurde nun zum Träger der folgenden Erblinie, aus der Abram für Gottes Vorsehung erwählt wurde. *Gen. 9, 18-29*
In der Bibel können wir die Geschichte von Abraham verfolgen. Auch ihm passierte ein Fehler bei der Opferung der Tiere, weil er die Tauben nicht teilte. Was zur Folge hatte, dass seine Nachkommen, die ihm Gott in großer Zahl versprochen hatte 400 Jahre in einem fremden Land unter Zwangsarbeit leiden werden. Abraham wurde älter, und es zeigte sich, dass seine Frau Sarai unfruchtbar war. So sagte Sarai zu Abraham, gehe doch zu unserer Magd Hagar, damit sie für uns einen Stammhalter gebäre. So ging Abraham zu Hagar, und sie gebar Abraham einen Sohn, den sie Ismael nannten. *Gen. 16, 1-16*

In späteren Jahren, als Abraham schon 100 Jahre alt war, gebar ihm seine Frau Sarai einen Sohn, den Abraham Isaak nannte, obwohl Sarah als unfruchtbar galt, und zudem schon hoch betagt war. *Gen. 21, 1-8*

Während das Kind heran wuchs, stellte Gott Abraham auf eine harte Probe. Gott verlangte von Abraham, mit seinem Sohn Isaak auf einen Berg zu gehen den er ihm zeigen werde, um dort Isaak als Brandopfer darzubringen. Abraham gehorchte Gott und machte sich mit Isaak auf den vorgegebenen Berg, um Isaak zu opfern. Als Abraham bereit war, Isaak, der schon angebunden auf dem Brandaltar lag, und ohne zu murren seinem Vater vertraute, Abraham das Messer erhob, hielt ihn Gott durch einen Engel zurück. Mit den Worten, tu deinem Sohn nichts zuleide, denn nun weiß ich dass du Gott fürchtest, du hast deinen einzigen Sohn mir nicht vorenthalten. *Gen. 22, 1-19*

Abraham war hochbetagt und beauftragte seinen Großknecht, eine Frau für seinen Sohn Isaak zu finden. Aber nicht eine Tochter von den Kanaanitern unter denen er wohnte, sondern in seiner Heimat, bei seiner Verwandtschaft soll der Großknecht eine Frau für Isaak finden.
So wurde Rebekka als Frau für Jakob gefunden. *Gen. 24, 1-67*

Rebekka gebar Isaak Zwillingssöhne mit den Namen Esau und Jakob. *Gen. 25, 19-26*

Die Geschichte von Esau und Jakob ist in weiterer Folge im Buch Genesis beschrieben. Jakob holte sich mit Hilfe von seiner Mutter Rebekka das Erstgeburtsrecht und den Erstgeburtssegen. Als Folge musste Jakob vom wütenden Esau zu seinem Onkel Laban flüchten. Nach 21 Jahren harter Arbeit kehrte er mit Hab und Gut zurück, legte alles Esau zu Füßen, um dessen Zorn über das gestohlene Erstgeburtsrecht-und Segen zu besänftigen. Esau war gerührt, und die Brüder umarmten sich. *Gen. 33,1-20*

Die zwölf Söhne Jakobs wurden die Stammväter der zwölf Stämme Israels.
Den Namen Israel erhielt Jakob an der Furt des Jabok, wo in der Nacht ein Engel mit ihm kämpfte, der ihm das Hüftgelenk ausrenkte, dennoch gab er bis zum Morgengrauen nicht auf, worauf der Engel, Jakob den Namen Israel übertrug. *Gen. 32, 23-33*

Die Söhne Jakobs, sowie die Geschichte mit Josef, der von seinen Brüdern missachtet, in eine Zisterne geworfen, und schließlich von ihnen an vorbeikommende ismaelitische Kaufleute verkauft wurde, zeigt uns, wie Gott Menschen, die trotz schwierigster Umstände Gott vertrauen und gemäß ihrem reinen Gewissen handeln, zu großen Ehren kommen können.
Nachdem Josef mit diesen Kaufleuten in Ägypten landete, kam er zunächst als Sklave an den Hof des Pharao, wo er schließlich durch Traumdeutungen zu großen Ansehen und sogar Verwalter des Landes wurde. *Gen. 39-41*

Wegen der großen Hungersnot, die im Lande Jakobs hereinbrach, zogen die Brüder Josef's nach Ägypten, um Vorräte für ihren Vater und die ganze Sippe zu kaufen. Josef, der die Vorräte in Ägypten verwaltete, gab sich schließlich seinen Brüder zu erkennen, was eine Versöhnung unter den Brüdern erwirkte. Auch Jakob ihr Vater der zu Israel wurde folgte und lebte noch 17 Jahre in Ägypten. Sie vermehrten sich rasch, und gerieten durch die nachfolgenden Pharaonen in Sklaverei, die 400 Jahre andauern würde. So wurde die Prophezeiung wahr, die Gott Abraham mitteilte, als er das Tieropfer nicht vollendete, dass seine Nachkommen(die zwölf Söhne Jakobs und deren Nachkommen, die zu den zwölf Stämmen Israels wurden) 400 Jahre in einem fremden Land leiden werden.

Gegen Ende der 400 jährigen Knechtschaft des Volkes Israel in Ägypten, wurde ein israelitisches Baby im Schilfwasser des Nils ausgesetzt, und auf wunderbare Weise im Palast des Pharao durch seine eigene Mutter gestillt. *Exodus 2, 1-14*

Die weitere Geschichte Moses, seine Flucht in die Wüste Midian, der Ruf Gottes an Mose in einem brennenden Dornbusch, seine Rückkehr nach Ägypten, die zehn Plagen an den Pharao durch Moses, der Auszug der Israeliten aus Ägypten unter der Führung des Mose, die Flucht durch das geteilte rote Meer, Zwischenstation am Sinai, Moses 40 - tägiges Fasten am Berg Sinai, mit dem Empfang der zehn Gebote, der Unglaube des Volkes während Mose am Berg fastete, sein nochmaliges Fasten, zum Empfang der 10 Gebote, der Bau der Stiftshütte, der weitere Weg Richtung Kanaan, dem gelobten Land, das Gott Mose und dem Volk versprochen hat; die Auskundschaftung Kanaans durch 12 Kundschafter , und der Unglaube der Kundschafter außer den beiden, Josua und Kaleb.

Der Unglaube der 10 Auskundschafter und des Volkes, verursachte die 40 - jährige Wüstenwanderung. Während dieser Zeit starben viele Israeliten, nur die nachkommende Generation war erfolgreich bei der Eroberung Kanaans unter der Führung von Josua. Mose, der Josua beauftragte Kanaan einzunehmen, konnte selber das Land nicht mehr betreten. All dies ist in den fünf Büchern Moses aufgezeichnet.
Die zwölf Stämme Israels ließen sich in Kanaan nieder, nachdem sie dieses erobert und die Einwohner vernichtet hatten. Das Land wurde unter den Stämmen aufgeteilt. So wurde das Volk zu einer Nation, in dem zunächst über 400 Jahre Richter eingesetzt wurden. Der letzte Richter Samuel weihte schließlich Saul zum 1. König von Israel. Es

folgten König David und König Salomon, der den Tempel errichtete.
Diese Zeit dauerte 120 Jahre.
Viele weitere Könige folgten, die einen gerecht in den Augen Gottes, andere frevelhaft. Unglaube schlich sich erneut unter das Volk, es wurde geteilt in Nord und Süd, bis schließlich das Nordreich, später auch das Südreich von Nebukadnetzar dem König von Babel erobert wurde. Der unter König Salomon errichtete Tempel wurde zerstört und das Volk ins Exil vertrieben.
Die Rückkehr nach Kanaan wurde unter dem Perserkönig Zyrus ermöglicht. Die Zeit im Exil und die Rückkehr dauerte ca. 210 Jahre. Der Tempel wurde wieder aufgebaut und die Gesetze des Mose von den treuen Nachkommen wieder eingeführt.
Der Prophet Maleachi prophezeite das Kommen des Messias, des Herrn und Erlösers ca. 400 Jahre vor Christus.
Die 2000 jährige Geschichte des Volkes Israel von Abraham bis Jesus ist in der Bibel im alten Testament aufgezeichnet.
Die Abfolge, sowie Erklärungen zur Geschichte Israels sind im Buch „Das göttliche Prinzip“ von Rev. Sun Myung Moon ausführlich beschrieben.
Das Ziel in Gottes Erlösungswerk ist das senden des Messias, des Erlösers.
Was ist die Aufgabe oder Mission des Messias des Erlösers?
Wir sind durch den Fall in Unwissenheit über das Wesen Gottes und seinen ursprünglichen Schöpfungsplan geraten.
Das heißt:
Der Messias übermittelt uns das Wort Gottes, seinen Schöpfungsplan, und zeigt uns den Weg, wie wir aus den gefallenen Zustand, den wiederhergestellten ursprünglichen Zustand, das Schöpfungsideal erreichen können. Jakob durchlief einen Musterkurs auf der Familienebene als Vorbereitung für das Kommen des Messias. Moses durchlief einen Musterkurs auf der nationalen Ebene als Vorbereitung für das Kommen des Messias. Moses erhielt von Gott die zehn Gebote mit vielen Anleitungen für eine Lebensweise, die den Glauben an einen lebendigen Gott übermittelten. Solange die Führer und das Volk sich danach ausrichteten, standen sie unter Gottes Schutz, und konnten siegreich feindlich gesinnte Stämme abwehren und auch vernichten. Der Messias braucht, wenn er auf der Erde geboren wird Schutz durch eine Familie, einen Stamm und eine Nation.
Jesus wurde als Messias geboren. Er wurde in eine Familie hineingeboren, die wir als Josef und Maria kennen.
Er hatte auch seine Verwandtschaft, und das ganze Volk Israel um sich, das sehnsüch-

tig auf den Messias, seinen Erlöser wartete. Jesus brachte das Wort Gottes durch die Evangelien. Die Worte Jesus waren von Gott inspiriert und drücken die Liebe Gottes gegenüber den Menschen aus. Er fasste die grundlegenden 10 Gebote in zwei Gebote zusammen:

Liebe Gott mit deinem ganzen Herzen, deiner ganzen Seele, und deinem ganzen Gemüt, und liebe deinen Nächsten wie dich selbst.
In Matth. 4:17 sagt Jesus: **Kehrt um, denn das Himmelreich ist nahe.**
Wie wir aus der Bibel erkennen können, wurde Jesus von seiner Familie, seiner Umgebung, seinem Volk nicht verstanden. Besonders von der geistlichen Elite Israels, wie den Schriftgelehrten, Hohepriester und Pharisäern wurde er beschimpft und abgelehnt. Was schließlich dazu führte, dass Jesus verraten, gefangen genommen, verurteilt und gekreuzigt wurde.

Aus den folgenden Versen in der Bibel, können wir sehen, dass Jesus viel mehr tun wollte, aber den Menschen dies nicht sagen konnte. Jesus fügte weiter hinzu: Bibel:
Joh. 16:12-13 ***Vieles hätte ich euch zu sagen, ihr könnt es aber nicht ertragen, wenn aber der Geist der Wahrheit kommt, der wird euch in alle Wahrheit leiten.***
Joh. 16:25 ***Dies habe ich in Bildern zu euch gesprochen.***
Es kommt die Stunde, da ich nicht mehr in Bildern zu euch spreche, sondern euch unverhüllt vom Vater künden werde.
Joh. 3:12 ***Wenn ich von den irdischen Dingen zu euch geredet habe und ihr nicht glaubt, wie werdet ihr glauben, wenn ich von den himmlischen Dingen zu euch rede.***

Was wollte Jesus erreichen:
Adam hatte versagt Gottes Schöpfungsideal zu errichten.
Was ist Gottes Schöpfungsideal? Adam und Eva waren mit dem Potential geboren, mit Gottes Herzen eins zu werden, das heißt, ihre Gedanken, Worte und Taten auf das Herz Gottes auszurichten. Das war die Zeit ihrer Wachstumsperiode. Dann wollte Gott sie in der Ehe segnen, und schließlich den Menschen als Herr über die ganze Schöpfung einsetzen. *Gen. 1, 28*

Am Vorabend zur Verehelichung von Adam und Eva stahl Luzifer Eva und durch sie auch Adam, und beide gerieten unter Luzifers Herrschaft, der zu Satan wurde, wie ich schon beschrieben habe. In der Bibel spricht Jesus über das Volk:
Joh. 8,44 **Ihr seid vom Vater den Teufel, und seine Gelüste wollt ihr tun** Im *2. Kor. 4,4* **ist Satan der Gott dieser Welt,** und in *Joh. 12,31* **der Fürst dieser Welt...**
Diese Verse verdeutlichen, dass der Mensch ursprünglich von Gott unserem himmlischen Vater geschaffen wurde, aber durch den Fall unter Satans falscher Liebe und Herrschaft geriet. Dies drückt sich durch die katastrophale Entwicklung in der Familie Adams aus. Vertreibung aus dem Paradies, und der Brudermord. Bibel: *Gen. 1, 1-16*
Nun wollte Gott durch Jesus dieses verlorene Familienideal der wahren Liebe wiederherstellen. Es war die Mission Jesu, das verlorene Ideal der wahren Liebe zwischen Mann, Frau und Kinder mit ihm als Zentrum und Träger des reinen Samens wiederherzustellen.
Der Unglaube des Volkes Israel, und die dadurch resultierende Kreuzigung, machte es Jesus unmöglich, Gottes Ideal der wahren Liebe in der Familie zu verwirklichen. Deshalb begann Jesus in der Endphase seines Wirkens vom Leiden und der Auferstehung zu sprechen. Jesus konnte durch seine absolute Hingabe und Aufopferung am Kreuz für Gott einen geistigen Sieg erringen, der seinen Nachfolgern, und dem daraus entstandenen Christentum geistige Erlösung und den Weg ins Paradies ermöglichte. Aber nicht auf Erden, sondern nach dem physischen Tod in der geistigen Welt.

Joh. 3:16 **Denn so sehr hat Gott die Welt geliebt, dass er seinen eingeborenen Sohn dahingegeben hat, damit jeder, der an ihn glaubt, nicht verlorengehe, sondern ewiges Leben habe.**
Der Unglaube des Volkes Israel, der den Leidensweg Jesu verursachte, hatte aber schlimme Folgen für Israel und seine Nachkommen.

Luk. 23:28 **Ihr Frauen, weint nicht über mich, weint über euch und eure Kinder.**
Luk. 23, 34a **Vater vergib ihnen, denn sie wissen nicht was sie tun.**

Jesus versprach die Wiederkunft, um auch auf Erden die volle Erlösung zu bringen.
Dies wird ausgedrückt im Gebet „ Vater Unser" das Jesus seinen Jüngern gelehrt hat.
Matth. 5, 9-15
Weiters in *Mark. 13, 28-32* warnt Jesus die Menschen wachsam zu sein, denn niemand weiß, wann die Wiederkunft stattfinden wird.

...Doch jenen Tag und jene Stunde kennt niemand, auch nicht die Engel im Himmel, nicht einmal der Sohn, sondern nur der Vater.

Matth. 24:42 ***Seid also wachsam! Denn ihr wisst nicht, an welchem Tag euer Herr kommt.***

Luk. 18:8 ***Doch wird der Menschensohn Glauben finden, wenn er kommt?***

In der Bibel wird die Wiederkunft Christi, als "die letzten Tage, die Endzeit, oder die Tage des Menschensohnes bezeichnet. Michelangelo hat das jüngste Gericht als Deckenfresko in der sixtinischen Kapelle als geniales Meisterstück zum Ausdruck gebracht. Auf der äußeren Ebene hat uns das 20. JHd. durch die Weltkriege, in weiterer Folge durch Weltuntergangsstimmungen, wie z.Bsp. Das Buch von Georg Orwell 1984, oder eines der Bücher über das Jahr 2012 „Zeitwende oder Weltende das 2012 Rätsel" deutliche Hinweise auf das Hauptereignis in den letzten Tagen der Menschheit offenkundig gemacht. So gesehen werden die letzten Tage, die Endzeit, das jüngste Gericht, mit der Wiederkunft des Herrn, dem Kommen des Menschensohnes eingeleitet.

Details sind in der Bibel in Symbolen und Gleichnissen niedergeschrieben.

Luk. 17, 26-27 ***...und wie es in den Tagen Noahs zuging, so wird es auch in den Tagen des Menschensohnes sein...***

2. Timotheus 3, 1-9 beschreibt die Situation der Menschen in der Endzeit.

Das sollst du wissen: In den letzten Tagen werden schwere Zeiten anbrechen. Die Menschen werden selbstsüchtig sein, habgierig, prahlerisch, überheblich, bösartig, ungehorsam gegen den Eltern, undankbar, ohne Erfurcht, lieblos, unversönlich, verläumderisch, unbeherrscht, rücksichtslos, roh, heimtückisch, verwegen, hochmütig, mehr dem Vergnügen als Gott zugewandt.. Den Schein der Frömmigkeit werden sie wahren, doch die Kraft der Frömmigkeit werden sie verleugnen. Wende dich von diesen Menschen ab. Zu ihnen gehören die Leute, die sich in die Häuser einschleichen und dort gewisse Frauen auf ihre Seite ziehen, die von Sünden beherrscht und von Begierden aller Art umgetrieben werden, Frauen die immer lernen und die doch nie zur Erkenntnis der Wahrheit gelanden können.Wie sich Jannes und Jambres dem Mose widersetzt haben, so widersetzen sich auch diese Leute der Wahrheit; ihr Denken ist verdorben, ihr Glaube bewährt sich nicht. Doch sie werden wenig Erfolg haben, denn ihr Unverstand wird allen offenkundig werden, wie es auch bei jenen geschehen ist.

Nun möchte ich die Zeitperioden des alten Testaments und des neuen Testaments an

Hand einer einfachen überschaulichen Tabelle darstellen, und die Zeitparalellen dieser beiden Zeitalter aufzeigen.
Damit die Wiederkunft Christi stattfinden kann, braucht Gott einen vorbereiteten Boden, ein Volk, das auf seine Wiederkunft wartet. Ansonsten würde der Wiederkehrende Christus keine Chance haben, auf dieser gottesfeindlichen von Kriegen regierten Welt aufzutreten, um den Willen Gottes, das Himmelreich auf Erden zu errichten. Dazu werden wir noch zur Sprache bringen, WO, Wie, und Wann die Wiederkunft stattfinden wird. Aus der Tabelle der beiden Zeitperioden, dem Alten und dem Neuen Testament können wir folgendes ablesen. Die Tabelle wurde aus dem Studienführer der göttlichen Prinzipien genommen.

Die Nachkommen Abrahams, Isaaks und im besonderen die zwölf Söhne Jakobs, aus denen sich die zwölf Stämme Israels gebildet haben, litten zunächst unter der Sklaverei der Pharaonen in Ägypten. – 400 Jahre
Danach kam die Zeit der Richter. – 400 Jahre
Samuel der letzte Richter krönte Saul zum ersten König von Israel. Daraus entstand das vereinigte Königreich unter Saul, David und Salomon – 120 Jahre.
Nach König Salomon wurde das Land geteilt in das Nordreich, bestehend aus zehn Stämmen, und dem Südreich, bestehend aus den zwei restlichen Stämmen. – 400 Jahre.
Wegen ihres Unglaubens gegenüber dem mosaischen Gesetz und des Tempels wurde zunächst das Nordreich von den Assyrern eingenommen, und in Gefangenschaft gebracht, ca.722 v. Chr. Später auch die zwei Stämme des Südreiches wegen des Unglaubens von den Babyloniern eingenommen, und in Gefangenschaft gebracht, ca. 608 v.Chr. 539 v. Chr. wurde Babylon von den Persern erobert, und König Cyrus ließ durch eine Verfügung das jüdische Volk wieder frei. Danach begannen die Israeliten wieder in ihr Heimatland zurückzuziehen, richteten sich wieder nach den Gesetzen des Mose aus, und bauten den Tempel wieder auf. – 210 Jahre
Durch den Propheten Maleachi begann das Volk eine Reformation einzuleiten, und die Zeit der Vorbereitung auf die Ankunft des Messias begann. – 400 Jahre
Solange das Volk Israel, Mose, und das mosaische Gesetz befolgten, und den Glauben bewahrte , war auch die schützende Hand Gottes mit dem Volk. Sobald sie sich davon abwandten, wurden sie von feindlichen Völkern bedroht, besiegt und vertrieben.

Genauso verhält es sich bei der Ankunft des Messias. Er wird aus dem Volk Israel hervorgehen, und das Wort Gottes auf einer höheren Ebene, in der die Liebe im Zentrum steht, dem Volk übermitteln. Nun kommt es darauf an, ob das Volk seinem Wort Glauben wird oder nicht. Jesus hat davon gesprochen, tut Buße, denn das Himmelreich ist nahe. Daraus ist zu erkennen, dass Jesus alles versucht hatte, das Volk zum Glauben an seine Worte, die direkt von Gott unserem Vater kommen, zu bewegen. Die Tatsache, dass Jesus schließlich verraten, angeklagt, und vor Gericht zum Tode verurteilt wurde, bezeugt, dass das Volk an Jesu Worte nicht glaubte, sich gegen ihn stellte, und ihn verwarf. Die Hintergründe für den Unglauben des Volkes, die Tragik der Kreuzigung, sowie Jesus Sieg durch die Auferstehung, sind in der Bibel erwähnt, und in den göttlichen Prinzipien ausführlich beschrieben. Die christliche Geschichte der letzten 2000 Jahre zeigt deutliche Parallelen zur jüdischen Geschichte, in der das verloren gegangene Fundament für den Empfang des Messias, des Herrn der Wiederkunft von neuem gelegt wurde. Die Frage ist: Wann, Wo, und Wie wird die Wiederkunft stattfinden. Hinweise dazu können wir in der Bibel finden.

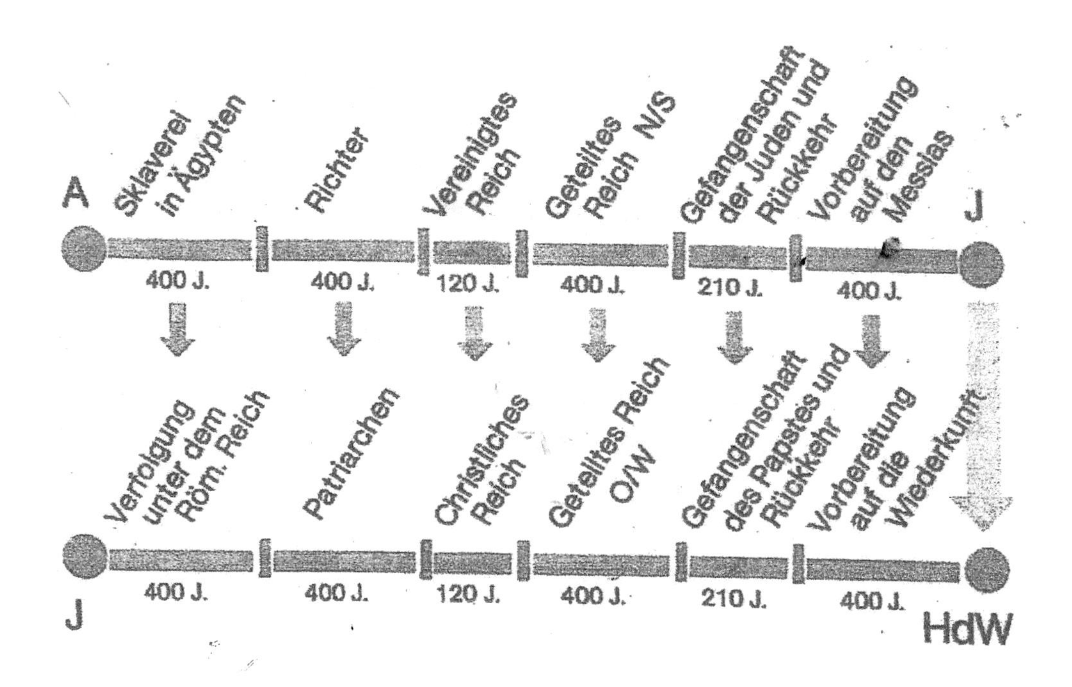

Zeitparalellen zwischen Judentum und Christentum

JESUS der MESSIAS

Wie wir aus der Zeitepoche des israelitischen Volkes von Abraham bis Jesus erkennen können, waren dies verschiedene Perioden, die insgesamt ca. 2000 Jahre bis zur Geburt Jesus betrugen. Gegen Ende seines 3-jährigen Wirkens, begann Jesus vom Leiden, Auferstehung und Wiederkunft zu sprechen. Die Tatsache, dass Jesus versprochen hat, wiederzukommen, deutet darauf hin, dass er noch etwas zu erledigen, oder zu vollenden hat.
Das letzte Buch der Offenbarung in der Bibel berichtet in sehr bildhafter Weise über das Kommen des Herrn, wodurch die letzten Tage, die Endzeit, oder auch Apokalypse genannt, eingeleitet werden.
Stellen wir uns die Frage: Was hätte Jesus alles bewirkt, oder vollendet, wenn er nicht gekreuzigt worden wäre? Wovon hat Jesus gesprochen? Er hat vom Himmelreich gesprochen. Das Himmelreich ist mitten unter euch. Luk. 17, 20-21
Joh. 14:20 ***an jenem Tage werdet ihr erkennen, Ich bin im Vater, der Vater ist in mir, ihr in mir und ich bin in euch.***
Das bedeutet; Das Himmelreich beginnt in mir selber. Was verbinden wir mit dem Himmelreich? Grundsätzlich ist es ein Reich, wo wahre Liebe, ausgerichtet auf das Wohl des Anderen gelebt und gepflegt wird. Liebe in ihren verschiedenen Formen kann ich nicht für mich alleine leben. Alleine kann ich mir über dies und jenes Gedanken machen, meine Umgebung beobachten, aber das alleine wird früher oder später langweilig. Deshalb sprach Gott im Garten Eden: Es ist nicht gut, dass der Mensch alleine ist, ich will ihm eine Gehilfin machen. Dazu benötigen wir auch mindestens ein Gegenüber mit dem wir Austausch, sprich eine Wechselseitige Beziehung aufbauen können. Deswegen besteht die Welt aus Männer und Frauen. Wenn ein Mann und eine Frau sich verlieben, fühlen sie sich sogar wie im siebten Himmel. Darum beginnt das Himmelreich in der Liebe zwischen Mann und Frau Gestalt anzunehmen. Dieser Standard der wahren himmlischen Liebe konnte bis heute von keinem Paar, und keiner Familie vom Anfang bis zum Ende verwirklicht werden. Gehen wir zurück zum ersten Menschenpaar, zu Adam und Eva. Wie schon erwähnt, haben Adam und Eva die Anordnungen Gottes ihres himmlischen Vaters nicht befolgt, und sind den listigen, heuchlerischen Gedanken und Worten Luzifers zum Opfer gefallen, indem sie seinen lüsternen, ehebrecherischen Handlungen folgten. Gott wollte sie zum Zeitpunkt ihrer Reife, der Einheit in Gedanken, Worten und Werken, verheiraten und in der Ehe segnen. Die Reinheit des Herzens hätte sich auf ihre Kinder übertragen, was zur Etablierung der ersten Familie

mit Gott im Zentrum geführt hätte. Die Familie ist der Grundstein für die Erfüllung der vier Arten der Liebe:
Die Liebe zwischen Mann und Frau. Die Liebe zwischen Eltern und Kinder.
Die Liebe der Kinder zu den Eltern und die Liebe zwischen den Geschwistern, die sich in der Nachbarschaft, Gesellschaft usw. fortsetzt. Luzifer, der Teufel hat damals alles zunichte gemacht, und Adam und Eva in seinen Bann gezogen. Durch die sexuelle Vereinigung Luzifers mit Eva, und Eva mit Adam wurde die reine wahre Blutslinie, der Same Adams beschmutzt. Angst und schlechtes Gewissen quälten beide, sie versteckten sich und bedeckten ihre sexuellen Körperteile, was ebenfalls darauf hinweist, dass sie mit diesen wertvollen Organen ihre Missetat begingen. Die Vertreibung aus dem Paradies deutet darauf hin, dass die lebendige Beziehung, die zu diesem Zeitpunkt noch nicht voll ausgereift war, wieder verloren ging. Dieser seidene Faden der spirituellen Verbindung zwischen Gott und Mensch ging in Brüche, was den geistigen Tod den Gott als Warnung den Menschen übermittelte, zur Folge hatte. Die Vermehrung des Lebens wird ausschließlich durch die Vereinigung der Sexualorgane vollzogen. Die Liebe zwischen Mann und Frau findet ihren Höhepunkt durch die Vereinigung der Sexualorgane. Deshalb sind die Sexualorgane für Gott und für den Menschen das wertvollste Organ, nämlich das Liebesorgan. Luzifer, der zu Satan wurde hat davon Besitz genommen. Der Same Adams wurde beschmutzt, und von Generation zu Generation bis auf den heutigen Tag weiter vererbt. Deshalb sagte Jesus zu den Menschen seiner Zeit:
Joh. 8:44 ***Ihr seid vom Vater den Teufel, und seine Gelüste wollt ihr tun.***
Jesus ist gekommen als der Reine, der Gesalbte, der ohne Sünde, der Messias und Erlöser, und König aller Könige. Er hatte dieselbe Reinheit von Geburt an, wie Adam vor dem Sündenfall. Wie Jesus aus dem Schoß Marias als sündenloser reiner Mensch geboren werden konnte, beruht bis heute im Christentum auf den Glauben und Wirken des heiligen Geistes, der wiederum aus Gott stammt. Das Mysterium, dass Jesus als reiner sündenloser Mensch geboren werden konnte, werden wir noch ansprechen.*(Siehe Seite 53) Wie können wir nun aus den Prinzipien der Schöpfung, und dem Stammbaum Jesu, der im Evangelium von Matthäus aufgeschrieben ist, Erkenntnisse über die Wiederherstellung des göttlichen Familienideals finden?
Jesus konnte auf Grund der Kreuzigung Gottes Ideal der wahren Liebe in der Familie nicht verwirklichen, und hat deshalb von der Wiederkunft gesprochen. Jesus konnte deshalb auch die satanische Erblinie und somit Satans Wirken auf der Erde nicht unterbinden. Die Christen sind nach wie vor von der Erbsünde behaftet, deren Wurzel im Sündenfall unserer ersten menschlichen Vorfahren zugrunde liegt. Nicht nur das Chris-

tentum, sondern die gesamte Menschheit litt unter der satanischen Herrschaft Autoritärer Regime, in der Vergangenheit, wie auch heute noch. Materialistische Ideologien, und unmoralische Lebensweisen unterwanderten in der Vergangenheit bis heute, die christlichen Werte, und erstickten im Sog des überhandnehmenden Individualismus die Ideale christlicher Nächstenliebe. An Hand der Parallelen Zeitgeschichtlichen Abläufe im Judentum und im Christentum können wir feststellen, dass nach 2000 Jahren jüdischer Geschichte, Jesus als Messias erschienen ist, aber auf Grund der oben beschriebenen Ereignisse seine ursprüngliche Mission nicht zu Ende führen konnte. Er konnte durch seinen Sieg in der Auferstehung ein geistiges Reich im Himmel errichten. In seinem Gebet spricht er aber von der Errichtung des Himmelreiches im Himmel und auf Erden. Auch deshalb sprach er von der Wiederkunft Christi, um das Himmelreich auf Erden zu errichten.

Die Wiederkunft Christi

Die christliche abendländische Geschichte zeigt die gleichen Zeitabläufe der vergangenen 2000 Jahre wie die jüdische Geschichte. Sowie der Unglaube der israelitischen Könige die Verschleppung Israels nach Babylon ins Exil verursachte, so wurden auch die christlichen Päpste im Mittelalter wegen Korruption ins Exil nach Avignon verschleppt. Nach der Rückkehr der Israeliten aus dem Exil in Babylon, verkündete 400 Jahre vor der Geburt Jesu, der letzte Prophet Maleachi in Israel das zukünftige Kommen des Messias, des Erlösers an. Dadurch wurde im Volk eine Reformation und Erneuerungsbewegung ausgelöst.
Zur Zeit von Jesu Geburt stand Israel unter der Herrschaft und Unterdrückung des römischen Reiches. Nachdem die Päpste aus dem Exil in Avignon nach Rom zurückkehrten, begann Papst Leo der X. im Jahr 1517 mit dem Verkauf von Ablassbriefen, um Geld für den Bau des Petersdomes einzutreiben. Das erhöhte den Unmut der Bevölkerung. Martin Luther, Theologieprofessor an der Universität zu Wittenberg, schrieb schließlich seine 95 Thesen im selben Jahr nieder, und veröffentlichte diese an der Kirche zu Wittenberg.

Dies löste eine Reformation aus, die besonders in Deutschland zu einem heftigen Konflikt mit der kath. Kirche führte. Martin Luthers öffentliches Auftreten eröffnete zugleich das Zeitalter der 400 jährigen Vorbereitung auf die Ankunft des Herrn der Wiederkunft. Mit Calvin und Zwingli verbreitete sich die Bewegung rasch über Frankreich, der Schweiz und ganz Mitteleuropa aus.

Die jüdische Geschichte, ausgehend von der Sklaverei in Ägypten bis zur Geburt von Jesus beträgt ca. 1930 Jahre. Die Zeit angefangen mit der Christenverfolgung im römischen Reich, bis zum Ende der Vorbereitung auf die Wiederkunft beträgt ebenfalls ca. 1930 Jahre. Wenn wir die Zeit der Vorbereitung auf die Wiederkunft mit Martin Luthers Anschlag seiner 95 Thesen im Jahr 1517 berechnen, so kommen wir auf das Jahr 1917 wo die Wiederkunft stattfinden könnte. Wenn wir diese beiden Jahre 1917 und 1930 hernehmen, so können wir laut Gottes Plan annehmen, dass während dieser Zeit zwischen 1917 und 1930 die Wiederkunft Christi am ehesten stattfinden könnte. Damit haben wir die Frage: Wann wird die Wiederkunft stattfinden, in einen zeitlichen Rahmen gefügt.
In *Mark. 13. 28-37* Mahnt Jesus die Menschen ***"besonders Wachsam zu sein"***

Wo wird die Wiederkunft stattfinden ist unsere nächste Frage. Davon kann uns die Bibel Hinweise geben.
In der *Offenbarung 7, 2-4* ***lesen wir von einem Engel aus dem Osten kommend mit dem Siegel des lebendigen Gottes.***
In *Matth. 24,27* ***lesen wir vom Blitz der bis zum Westen hin leuchtet, wenn er im Osten aufflammt, so wird es bei der Ankunft des Menschensohnes sein.***
Aus diesen Versen lässt sich annehmen, dass die Wiederkunft im Osten stattfinden wird. Mit dem Osten verstehen wir Korea als das Land der aufgehenden Sonne, oder auch Japan?
Welches Volk ist dafür qualifiziert?
Ein friedliebendes Volk sollte es sein. Korea hat in seiner Geschichte nie einen Angriffskrieg geführt. Während Japan Kriege gegen andere Völker geführt hat.
Korea hatte ein sehr starkes junges christliches Fundament, welches von 1905 bis 1945 unter japanischer Herrschaft bitter verfolgt wurde. Korea hat eine 4000 jährige Geschichte des Leidens hinter sich, und zuletzt 40 Jahre unter japanischer Herrschaft gelitten. Es gab in Korea zur Zeit der Wende ins 20. Jhd. und danach große Erwartungsbewegungen, dass die Wiederkunft in Korea stattfinden wird. Somit können wir annehmen, dass die Ankunft des Menschensohnes, wie in der Bibel beschrieben, in Korea einhergehen wird.

Nächste Frage: ***WIE*** wird die Wiederkunft stattfinden?

Wenn wir in Betracht ziehen, dass unsere ersten Vorfahren Adam und Eva, dazu bestimmt waren, eine Familie, in der Wahre Liebe, Wahres Leben und eine Wahre reine Blutslinie hervortreten sollten, was aber durch den Fall zunichte gemacht wurde, können wir erkennen, was der Zweck des Kommens Jesus als Messias war. Wie schon beschrieben, wollte er das verlorene Ideal in Adams Familie wiederherstellen.
Jesus kam als der zweite Adam 1. Kor. 15:45
Da Jesus gekreuzigt wurde, konnte er keine auf Gott ausgerichtete Familie errichten. Der Herr der Wiederkunft wird deshalb wieder als Mensch, so wie Jesus mit Fleisch und Blut auf der Erde geboren werden.
Offb. 12:5 ***...und sie gebar ein Kind, einen Sohn, der über alle Völker mit eisernem Zepter herrschen wird.***
In *Luk. 18:8* lesen wir, ***wird jedoch der Menschensohn, wenn er kommt, auf der Erde Glauben vorfinden?***
Daraus geht hervor, dass er als Mensch auf Erden erscheinen wird, und die Frage wird aufgeworfen, ob er wohl Glauben finden wird? Aus dieser Frage können wir ableiten, dass der Herr der Wiederkunft neue Kenntnisse über das Wort Gottes, welches auch die Bibel in neuem Licht erscheinen lässt, übermitteln wird.
Joh. 16:25 ***Dies habe ich in verhüllter Rede zu euch gesagt; es kommt die Stunde, in der ich nicht mehr in verhüllter Rede zu euch spreche, sondern euch offen den Vater verkünden werde.***

Nun haben wir einige Hinweise aufgezeigt, bezüglich der drei Fragen, **WANN, WO,** und **WIE** wird die Wiederkunft stattfinden.

Die Zeittabelle führt uns auf die Jahre zwischen 1917 und 1930. Das Land haben wir mit Korea gefunden. Und er wird als Mensch mit Fleisch und Blut geboren werden.

Die in dieser Broschüre kurz zusammengefassten Erklärungen, sind ein kleiner Bericht eines umfangreichen Lebenswerkes, welches Gott selbst, Gottes ursprünglichen Schöpfungsplan, den Fall des Menschen, und den seit Jahrtausenden fortschreitenden Weg der Wiederherstellung beschreibt. Der Urheber dieses umfangreichen Lebenswerkes, welches mit Blut, Schweiß und Tränen übersät ist, wurde im Jahr 1920 in Korea geboren.

Sein Name ist SUN MYUNG MOON

Ich habe lediglich nach meinen Verständnis die Lehre und Worte aus seinem Mund und seinem Leben so gut ich konnte, bruchstückhaft geschrieben, und möchte nun in gleicher Weise auf sein Leben und sein Wirken eingehen.

Sun Myung Moon wurde am 6. Jänner nach dem Mondkalender in Chonju, einem kleinen Dorf im heutigen Nordkorea geboren. In der Folge verwende ich für Sun Myung Mun die Abkürzung, SMM. Schon als kleines Kind war er ständig draußen in der Natur, beobachtete das Leben der Tiere in Wald und Feld, sowie auch nach und nach das Leben der Menschen in seiner Umgebung. Er reagierte äußerst empfindlich gegen Ungerechtigkeit, und machte sich große Sorgen über das Leid der Menschen in seiner Umgebung, und darüber hinaus. Am 17. April Ostermorgen 1935 erscheint ihm Jesus während seines Gebetes auf einem Hügel in der Nähe seines Elternhauses, und bat ihm seine, (Jesus Mission) zu vollenden. Nach drei Tagen verzweifelten Ringen, denn er war sich der Tragweite dieser Mission bewusst, sagte er schließlich zu.

Von da an wurden seine nächtelangen Gebete noch intensiver, indem er auf der Suche nach Gott, den Hintergrund des Leidens der Menschen ergründen wollte. Er durchforstete die tiefen Sphären der geistigen Welt, und entdeckte das kummervolle und leidende Herz Gottes, und focht einen bitterlichen Kampf gegen die Mächte Satans, die sich ihm entgegenstellten, nachdem er das Verbrechen Satans im Garten Eden enthüllte. Von 1935 nach der Begegnung mit Jesus bis 1945 dauerte die Entdeckungsreise, die mit unglaublichen Schwierigkeiten, Hindernissen, Überwindungen und Kämpfen übersät war, bis er schließlich das Siegel des Himmels erhielt. Seine Schulzeit, sein Studium in Seoul und auch in Japan, seine erste Hochzeit, und viele Details sind in Biografien und Ansprachen festgehalten. Sein einsamer Weg in diesen Jahren wird aber für immer ein Geheimnis bleiben, nur Gott und Sun Myung Mun selber wissen über diese schicksalhafte Zeit und sein ganzes Leben aus der tiefen Seele bescheid.

Um 1944 herum arbeitet SMM in Seoul und ist in der Widerstandsbewegung gegen die japanische Besatzung tätig. Noch während der Japanischen Besatzung wird er 1944 zum ersten Mal von der Japanischen Polizei ins Gefängnis gebracht. Zunächst wegen seiner Anti-japanischen Aktivitäten, schließlich wird er als Kommunist verdächtigt und brutalst bis an den Rand des Todes gefoltert und an den Füßen aufgehängt. Nach mehreren Monaten wird er schließlich für unschuldig befunden und vom Gefängnis entlassen.

Im Jahr 1946 bittet Gott SMM nach Nordkorea zu gehen. Er tat dies unmittelbar und ließ seine Frau mit Baby zurück. SMM beginnt zu predigen, und viele Christen folgten seinem Ruf. Er wurde weitere Male von kommunistischen Gruppen gefangen genommen und im Gefängnis über Tage hinweg auf brutalste Weise bis an den Rand des Todes gefoltert. Nachdem er kein Lebenszeichen mehr gab, wurde er im Gefängnishof hinausgeworfen, wo ihn Mitglieder, die ständig vor dem Gefängnis nach ihm Ausschau hielten, seinen leblosen zerschundenen Körper fanden. Sie brachten ihn nach Hause, und soweit bekannt, wollten sie das Begräbnis vorbereiten. Doch sie bemerkten, dass noch Leben in seinem Körper vorhanden war. Sie begannen ihn zu pflegen, und nach monatelanger Genesung begann er wieder zu predigen. Schließlich wurde er wieder von den Kommunisten gefangen genommen und in das Arbeitslager von Hyung Nam, was ein Todeslager war, gebracht. Zwei Jahre und acht Monate arbeitete er unter unmenschlichen Bedingungen, bis nach Ausbruch des Koreakrieges im Jahr 1950 das Arbeitslager von alliierten Streitkräften unter amerikanischer Führung bombardiert wurde, und so die Häftlinge befreit wurden. Zur Befreiung sei noch angemerkt: Nachdem die kommunistischen Machthaber erkannt haben, dass die amerikanischen Streitkräfte von Süden kommend auch dieses Arbeitslager bald erreichen würden, verordnete die kommunistische Führung die Erschießung aller Häftlinge. Jeden Tag wurden, geordnet nach Nummern Häftlinge abgeführt, und erschossen. Einen Tag bevor SMM mit seiner Nummer an die Reihe kam, wurde das Arbeitslager von den amerikanischen Streitkräften beschossen, die kommunistischen Aufseher flüchteten, und SMM wurde befreit. SMM flüchtete mit Won Pil Kim und Mr. Pak, der ein gebrochenes Bein hatte in den Süden, bis nach Pusan, nachdem er die weiteren Mitglieder in Pyongyang nicht mehr gefunden hatte oder nicht mehr gemeldet hatten. Dort begann er 1951 erneut zu predigen, baute auf einem Berg eine Hütte aus Pappkarton und Lehm, die ihm als Wohn- und Lehrraum diente. Won Pil Kim half mit so gut er konnte. Hier entstanden auch die ersten schriftlichen Aufzeichnungen der göttlichen Prinzipien. Bald besuchte ihn auch eine junge Frau auf der Hütte, sie wurde im Jahr 1952 seine erste Nachfolgerin in Pusan. Ihr Name ist Hyun Shil Kang. Eines Tages kam auch seine Frau mit ihren mittlerweile siebenjährigen Sohn zur Hütte. Später trennte sie sich von ihm. Im Jahr 1960 wurde ihm Hak Ja Han, ein junges Mädchen vorgestellt. Im April dieses Jahres wurde sie mit SMM in der Ehe gesegnet. Seine Aktivitäten von Anfang bis zu seinem Lebensende sind in Biografien und Niederschriften festgehalten. Wenn wir seine Worte, die im göttlichen Prinzip, und in den vielen Ansprachen und Predigten zusammengefasst sind, studieren, kommen wir zu der Schlussfolgerung, dass er der wiedergekehrte Christus ist, auf den die Christen seit 2000 Jahren warten.

In *Luk. 18,8* lesen wir, ***wird jedoch der Menschensohn, wenn er kommt, auf der Erde Glauben vorfinden?***
Dieser Vers deutet darauf hin, dass Christus, der Menschensohn möglicherweise auf Unglauben stoßen wird, wenn er kommt. SMM war 5 mal unschuldig in Gefängnissen auf Koreanischen Boden, und litt vielmals unter entsetzlicher Folter. 1984 wurde SMM ein weiteres Mal auf amerikanischen Boden ins Gefängnis von Danbury gebracht. Viele Details seines Lebens können im geschriebenen Wort und auch auf Videos gelesen und gehört werden. Kurz zusammengefasst möchte ich nochmals auf die eigene Mission des Messias zu sprechen kommen. Er kommt, um das ursprüngliche Ideal der Liebe, welches im Garten Eden durch den Missbrauch der Sexualorgane von Adam und Eva verloren ging, wiederherzustellen. Satan der Urheber und Ehebrecher hat Eva verführt, und durch die sexuelle Verbindung mit Eva mit dem geistigen Körper, seine egozentrischen Gefühle, wie Macht, Herrscher zu werden und Lustgefühle auf Eva übertragen. Eva übertrug diese Gefühle auf Adam, durch die sexuelle Vereinigung mit Adam. Der reine und himmlische, von Gott dem Vater geschaffene Same in Adam, wurde von Luzifers ehebrecherischen geistigen Samen beschmutzt.

Durch die sexuelle Verbindung zwischen Subjekt Partner und Objekt Partner d.h. zwischen Mann und Frau entsteht eine Blutsverbindung, die von Generation zu Generation weitervererbt wird. Deshalb sagte Jesus: *Joh. 8:44* ***Ihr seid vom Vater den Teufel, und seine Gelüste wollt ihr tun.***
*Der Stammbaum, die Bultslinie von Jesus ist in der Bibel aufgezeichnet. Gott arbeitete im alten Testament mit Abraham, Isaak und Jakob, über David bis zu Jesu Geburt an der Bereinigung der Blutslinie. Außergewöhnliche Frauen sind in der Geschichte Israels bis Jesus äußerst fragwürdigen Beziehungen eingegangen, oder sind damit verwickelt worden. Gott verlor durch den Fall seinen eingeborenen Sohn Adam. Das Erstgeburtsrecht und den Segen hat Satan an sich gerissen, und zerstört. Die Brüder Esau und Jakob taten folgendes: Jakob der Zweitgeborene erkaufte sich von Esau das Erstgeburtsrecht. Etwas später holte er sich auf listige Weise, mit Hilfe seiner Mutter Rebekka den Erstgeburtssegen von seinem Vater Isaak. Eigentlich hatte Esau der Erstgeborene den Anspruch auf den Segen. Es kam zum Streit, und Jakob floh zu seinem Onkel Laban. Nach 21 Jahren kehrt er mit Hab und Gut zurück und übergibt seine erworbenen Dinge Esau.
Esau ist gerührt die Brüder umarmen sich. Durch dieses Ereignis wurde die Umkehr des Erstburtsrechts und des Segens auf der äußeren Eben vollzogen. Gott hatte wieder

Anspruch auf den Erstgeborenen Sohn auf der äußeren Ebene erlangt. Dieser Vorgang musste auch auf der inneren Ebene vollzogen werden. Dies geschah im Mutterleib von Tamar, der Schwiegertochter von Juda, welcher der vierte Sohn von Jakob ist. Tamar war von ihrem Schwiegervater Juda mit Zwillingen schwanger. Bei der Geburt streckte der erste die Hand heraus, die Hebamme band ein rotes Tuch um die Hand, dann wurde die Hand wieder zurückgezogen, und der zweite Bub kam als erster heraus. Das bedeutet, die Umkehr des Erstgeborenen wurde im Mutterleib vollzogen, indem die zwei Buben ihre Rollen vertauscht haben. Der Zweite kam als Erster, und der Erste als Zweiter. Somit hatte Gott im Mutterleib den Anspruch auf den Erstgeborenen von Satan zurückgewonnen, und die beschmutzte Blutslinie wurde im Mutterleib, auf der inneren Ebene bereinigt.
Perez, der Erstgeborene, wurde nun der Träger der Erblinie die über David bis zu Jesus reichte. All die Personen, die bei den verschiedenen Ereignissen beteiligt waren, hatten extrem schwierige Situationen und Prüfungen zu überwinden, damit schließlich Jesus als Messias geboren werden konnte. Jesus wurde ohne Sünde, ohne eine Blutsverbindung zu Satan geboren. Er war der reine gesalbte Sohn Gottes.

Maria, die Mutter Jesu
Maria, einer Jungfrau aus der Stadt Nazareth, wurde von Gott durch den Engel Gabriel eine Botschaft übermittelt:
„Du wirst einen Sohn gebären, den du den Namen Jesus geben sollst, der groß sein wird und Sohn des Höchsten genannt wird". Maria war zu dieser Zeit mit Josef, einem gerechten Mann aus dem Hause David verlobt, und noch nicht mit ihm zusammen.
Deshalb fragte sie: Wie soll das geschehen, da ich keinen Mann erkenne.
Der Engel antwortete: Der heilige Geist wird über dich kommen, und die Kraft des Allerhöchsten wird dich überschatten.
Darauf begab sich Maria in das Haus des Zacharias und seiner Frau Elisabeth, die Marias Verwandte war. Sie blieb etwa drei Monate in Zacharias Haus, und war, als sie zurückkehrte, mit Jesus schwanger.
Wenn in einer Beziehung der Geist und die Kraft Gottes anwesend ist, so ist diese Beziehung auch heilig, und ist aus der Gnade und der Anwesenheit Gottes entstanden. Maria riskierte durch ihre Beziehung mit Zacharias ihr Leben, denn sie wäre nach jüdischen Gesetz dadurch getötet worden. Sie hatte absoluten Glauben an das Wort Gottes, welches durch den Engel übermittelt wurde, dadurch hatte Satan auch keine Macht an Maria heranzukommen. Sie war im Herzen rein. Die Reinheit in ihrem Schoß, wurde

durch die außergewöhnlichen Handlungen von Tamar, wie wir schon besprochen haben vervollständigt, sodass Jesus sündenlos geboren werden konnte.
Als Maria zurückkehrte, wurde es Josef, ihrem Verlobten, der sie sehr liebte, bald klar, dass Maria schwanger war, aber nicht von ihm. Josef beschützte sie dennoch, nachdem ihm in einem Traum gesagt wurde, dies zu tun. Maria hat ihr Leben völlig in Gottes Hände gelegt, was einer heiligen aufopfernden Haltung entspricht. Deshalb ist auch ihre Frucht eine heilige göttliche Frucht.

Luk. 1, 26-38-39-56
Das bedeutet der Mensch muss durch Wiedergutmachung den falsch eingeschlagenen Weg zurück gehen, bis zu Adam, und schließlich durch einen reinen wiederhergestellten Adam vor dem Fall, von neuem geboren werden. Dieser wiederhergestellte Adam ist der Messias, Christus genannt. In diesem Zusammenhang sagte *Jesus in Joh. 3:3*
Amen, Amen, ich sage dir, wenn jemand nicht von neuem geboren wird, kann er das Reich Gottes nicht sehen.
Dies wird in der Bibel durch Pfropfung ausgedrückt. *Bibel: Röm. 11:17*

Über die Kindheit Jesu
Von Jesu Kindheit und Jugendzeit wird in der Bibel kaum berichtet. Lediglich die Situation, als Jesus mit 12 Jahren von seinen Eltern im Tempel zuückgelassen wird.
Da Josef wußte, dass Jesus nicht sein Kind war, können wir uns vorstellen, dass er große Schwierigkeiten hatte, Jesus als seinen Sohn zu lieben. Für Maria waren dies ebenso extrem schwierige Jahre. Dann war noch Johannes der Täufer, der Sohn von Zacharias und Elisabeth, der Cousine von Maria. Johannes wurde ein großer Prediger und hatte großes Ansehen im Volk.
Dann kam es dazu, dass Jesus sich von Johannes am Jordan taufen ließ.
Und Johannes hörte eine Stimme vom Himmel: Dies ist mein geliebter Sohn, an dem ich mein wohlgefallen gefunden habe.
Und er bezeugte:" Er ist der Sohn Gottes" *Joh. 1, 29-34*
Über die Herkunft und Ereignisse von Johannes Geburt: *Luk. 1, 12-17*
Es wäre natürlich gewesen, wenn Johannes nach der Taufe, Jesus als sein erster Jünger nachgefolgt wäre. Damit wäre es auch der ganzen Anhängerschaft von Johannes, dem auch viele Gelehrte aus ganz Israel folgten, leichter gefallen, Jesus zu glauben. Davon berichtet die Bibel nicht.
Seine Familie geriet in Zweifel über sein Wirken, besonders Johannes der Täufer.

Johannes bezeugte, als er Jesus am Jordan taufte, dass Jesus der Messias, der Sohn Gottes ist.
Später, als Johannes schon im Gefängnis war, konfrontierte er Jesus mit der Frage: Ob er derjenige ist der da kommen soll, oder sollen wir auf einen anderen warten? *Matth. 11, 2-3*
Auch in *Joh. 1, 19-28* wird Johannes von Gesandten aus Priester und Leviten gefragt: ***Dies ist das Zeugnis des Johannes: Als die Juden von Jerusalem aus Priester und Leviten zu ihm sandten mit der Frage: Wer bist du? Bekannte und leugnete nicht; er bekannte: Ich bin nicht der Messias. Sie fragten ihn: Was bist du dann? Bist du der Elija? Und er sagte: Ich bin es nicht. Bist du der Prophet? Er antwortete nein.Da fragten sie ihn: Wer bist du? Wir müssen denen, die uns gesandt haben, Auskunft geben.Was sagst du über dich selbst? Er sagte: Ich bin die Stimme, die in der Wüste ruft: Ebnet den Weg für den Herrn! Wie der Prophet Jesaja gesagt hat. Unter den Abgesandten waren auch Pharsäer. Sie fragten Johannes: Warum taufst du dann, wenn du nicht der Messias bist, nicht Elija und nicht der Prophet? Er antwortete ihnen: Ich taufe mit Wasser. Mitten unter euch steht der, den ihr nicht kennt, und der nach mir kommt; ich bin es nicht wert, ihm die Schuhe aufzuschnüren. Dies geschah in Betanien, auf der anderen Seite des Jordan, wo Johannes taufte.***
Durch die widersprüchlichen Aussagen von Johannes über Jesus, wurde es Jesus äußerst schwierig gemacht, im Volk Akzeptanz zu finden.
Jesus erklärte der anwesenden Menschenmenge genau, dass Johannes der Elija sei, der zuvor kommen wird, um den Weg für den Herrn, den Messias vorzubereiten.
Johannes bezeugte bei der Taufe, dass Jesus der Messias, der Sohn Gottes ist.
Später leugnete Johannes, dass er der Elijas sei. Dadurch standen Jesu Worte im Widerspruch zu denen des Johannes: Johannes hatte großen Einfluss beim Volk, und wurde als ein Gesandter Gottes betrachtet. Während Jesus nur als einfacher Sohn des Zimmermanns betrachtet wurde und mit seinen Aussagen über Johannes beim Volk Ablehnung hinnehmen musste. Denn so lange Elija nicht erscheint, kann der Messias nicht kommen. Jesus Glaubwürdigkeit war dadurch bei den Schriftgekehrten, Hohepriestern, Pharisäern und schließlich auch beim Volk auf einen Nullpunkt gesunken.

Lediglich die einfachen Fischer, Zöllner und sogar mit Huren kam Jesus in Kontakt, sie haben Jesus als großen Meister und Gottgesandten erkannt und folgten ihm. Obwohl diese Leute keine Ahnung über die Bibel, den mosaischen Gesetzen hatten. Wegen dieser Schwierigkeiten begann Jesus vom Leiden und der Auferstehung zu reden.

Jesus hat gegen Ende seines Wirkens von seiner Wiederkunft gesprochen.
Der Menschensohn wird wieder kommen. Der Grund dafür ist, Jesus hat keine Braut gefunden, durch die er seinen reinen Samen säen kann. Er hätte die heilige Hochzeit gefeiert, die Hochzeit des Lammes, und von seiner Familie ausgehend, einen Stamm errichtet, indem die reine Blutslinie Gottes von Generation zu Generation weitergegeben wird.

Da Jesus als König geboren wurde, hätte er somit ein Königreich errichtet, und sein Volk Israel durch heilige Segnungen, Hochzeiten, an seinem wahren und reinen Stammbaum aufgepfropft. Dazu wäre absoluter Glaube der Menschen von seinem engeren Kreis ausgehend notwendig gewesen. Er fand jedoch keinen Glauben, wurde schließlich gefangen genommen, verurteilt und ans Kreuz geschlagen, bevor er seine eigentliche Mission erfüllen konnte. Darum sprach Jesus von der Wiederkunft. Jesus bat SMM, als dieser 16 Jahre alt war, diese Mission zu vollenden. Im Jahr 1960 hielt SMM seine eigene heilige Hochzeit mit dem jungen Mädchen Hak Ja Han ab. Nachdem seine erste Frau und eine weitere ihn wieder verlassen hatten. Gleich darauf begann SMM mit der Segnung von 36 Paaren aus den vielen Mitgliedern die sich rasch um ihn versammelt hatten. Viele Mitglieder wurden in den folgenden Jahren auf fast alle Länder der Erde ausgesandt. SMM dehnte die Segnungen bis zur weltweiten Ebene aus. Im Zuge jeder Segnung wurde vorher eine Holy Wine Zeremonie durchgeführt. Diese Zeremonie hat die Bedeutung von Blut, wie Blutslinie, der Same der reinen Blutslinie, Schweiß und Tränen, die SMM durch seinen Leidensweg der Vorbereitung auf seine Mission durchgegangen ist. Auch Jesus ist bis zu seinem 30. Lebensjahr einen schwierigen Kurs der Vorbereitung auf seine Mission gegangen.
Bis zu seinem physischen Tod im Jahr 2012 errichtete SMM ein weltweites Fundament, um das Reich Gottes (auf Koreanisch Cheon Il Guk) auf Erden auszubreiten. Er sprach immer wieder, dass wir eine Nation zur Errichtung des Reiches Gottes auf Erden brauchen.Wirtschaftliche Unternehmungen hatten von Anfang an für SMM einen großen Stellenwert.
Besonders in Korea hatte er große Unternehmungen etabliert, sodass dieses Land die besten Voraussetzungen entwickelte, dass von hier das Reich Gottes Cheon Il Guk (Koreanisches Wort für Reich Gottes) ausgerufen werden kann.

Als der Wiedergekehrte Christus, Messias und König aller Könige, ist es seine Aufgabe ein Königreich zu errichten. Sowie es Jesus vor 2000 Jahren vor hatte, mit seinem Volk,

Gottes Königreich zu errichten, so war es auch die Aufgabe von SMM dieses Königreich mit dem Christentum als vorbereitetes Volk auf weltweiter Ebene zu errichten.

Schicksalsjahre 2012-2013 und danach

Im folgenden möchte ich auf die Ereignisse eingehen, die sich um den Zeitraum des Hinübergehens von SMM in die geistige Welt im Jahr 2012 und danach ereignet haben.

Zunächst einige Zitate von SMM, die aus vielen Predigten und Ansprachen stammen, um ein besseres Verständnis seines Wirkens zu bekommen. Die Aussagen Jesus in der Bibel, decken sich mit den Worten, die SMM während seines Wirkens der Menschheit übermittelte. Glaube, Hoffnung und Liebe ist in den Worten Jesu oft zu finden. Auch SMM sprach immer wieder von absoluten Glauben, absoluter Liebe und absoluten Gehorsam.
Gehorsam ist deshalb wichtig, weil unsere ersten Vorfahren Adam und Eva dem Wort Gottes, vom Baum der Erkenntnis von Gut und Böse sollt ihr nicht essen, sonst würdet ihr des Todes sterben, nicht gehorchten. Sie gehorchten stattdessen dem Wort Luzifers, der zu Satan wurde. Nun war es des Menschen Verantwortung zur Zeit Jesus dem Wort Gottes, das Jesus zu seinem Volk sprach, glauben zu schenken, und zu gehorchen. Durch den Unglauben und Ungehorsam des Volkes Israel dem Wort Gottes gegenüber, wurde Jesus gekreuzigt. Nun ist die Frage, ob die Menschen zur Zeit der Wiederkunft dem Wort Gottes, das der Menschensohn übermitteln wird, glauben schenken werden und ihm gegenüber Gehorsam sind. Wie wir schon festgestellt haben, waren die christlichen Persönlichkeiten in Korea in den Jahren nach dem zweiten Weltkrieg nicht gehorsam dem Wort Gottes gegenüber, welches durch SMM übermittelt wurde. Was zur Folge hatte, dass er mehrere Male gefangen genommen, und bis an den Rand des Todes gefoltert wurde. Auch seine beiden ersten Frauen sind nach den ersten Schwierigkeiten seinem Wort und seinen Anweisungen nicht gefolgt, haben ihn verlassen, und sind von der Bildfläche verschwunden.

Seine dritte Frau Hak Ja Han ist bis zu seinem Tode vor der Öffentlichkeit an seiner Seite gestanden. In welcher Position stand nun Hak Ja Han während der fünf Jahrzehnte von 1960 bis zum Übergang in die geistige Welt von SMM im Jahr 2012? Sun Myung

Mun und Hak Ja Han wurden von den Mitgliedern der Vereinigungskirche als Wahre Eltern verstanden und geehrt.
Dieser Begriff wurde Mitter der 90er Jahre des 20. Jhd. von SMM und seiner Frau bei Ansprachentouren öffentlich proklamiert. Wir Mitglieder der Vereinigungskirche durften ab Mitte der 70er Jahre sie als Wahre Eltern bezeichnen. Vorher wurde SMM vorwiegend als Meister angesprochen.

Woher kommt der Begriff „Wahre Eltern". Das ursprüngliche Schöpfungsideal mit Mann, Frau und Kinder hätte von unseren ursprünglichen Vorfahren, Adam und Eva errichtet werden sollen. Somit wären sie zu Wahren Eltern geworden, die Kinder des Guten mit der reinen Blutslinie Gottes hervorgebracht hätten. Satan zerstörte dieses Ideal der Wahren Liebe. Adam und Eva fielen, und wurden so zu gefallenen Eltern, die die Blutslinie Satans durch ihre sexuelle Verbindung mit ihm übernahmen. Die Menschheitsgeschichte diente dazu, um den Standard der wahren Liebe wiederherzustellen, und Wahre Eltern zu etablieren. So wie die gesamte Menschheit dem verlorenen Wort Gottes, welches durch den Messias übermittelt wird, gehorchen und Glauben schenken muss, so muss auch seine Frau, die dem Messias von Gott zugewiesen wurde, seinem Wort gehorchen und daran glauben. Das bedeutet, dass sie ihren Lebensweg an der Seite des Messias, und König aller Könige im Glauben, Hingabe, Vertrauen und Gehorsam bis zum Ende ihres physischen Lebens zu gehen hat. Das bedeutet, dass alle Fehler die in der Vergangenheit, von Frauen in zentraler Position begangen wurden, oder unerfüllt geblieben sind, bis hin zu Adam und Eva durch Wiedergutmachung wiederhergestellt werden müssen.
Somit hatte Hak Ja Han einen extrem schwierigen Kurs der Wiedergutmachung an der Seite ihres Mannes, SMM, Messias Herr der Wiederkunft und König aller Könige zu gehen. Lassen wir nun SMM an Hand verschiedener Verse aus seinen Predigten und Ansprachen zu Wort kommen, und vergleichen wir jene Worte und Taten die seine Frau Hak Ja Han nach seinem Ableben gesagt und getan hat.
Das Buch **„Cheon Seong Gyeong"** beinhaltet ausgewählte Texte aus den Reden von SMM. Es sind Texte, die aus dem tiefen Herzen Gottes stammen, und durch SMM unter Blut, Schweiß und Tränen für die Menschheit gesprochen und geschrieben wurden.

In der Folge als Abkürzung: **CSG** Deutsche Ausgabe 2007

Gott ist unser Vater, wir sind seine Kinder:

CSG Seite 62 ***Ihr solltet fähig sein, „ Vater" zu rufen, selbst in eurem Schlaf und selbst wenn ihr ganz alleine seid.***
CSG Seite 1216 ***Die schockierende und bittere Nachricht ist, dass die Menschen vom Fall abstammen. Sie wechselten ihre Erblinie und haben ein solch beschämendes und tragisches Gefühl geerbt. Um dieses geerbte Schicksal loszuwerden, müssen sie alles in ihrer Macht Stehende tun, um zu befreiten Söhnen und Töchtern zu werden, die ohne Zögern Gott „Vater" nennen können. Habt ihr das Vertrauen das zu tun? Habt ihr das Vertrauen Gott „Vater" zu nennen? Ja, das habe ich.***

Bibel Matth. 5:48 ***Seid also vollkommen wie euer Vater im Himmel vollkommen ist.***

Bibel Joh. 14:20 ***An jenem Tag werdet ihr erkennen: Ich bin in meinem Vater, ihr seid in mir, und ich bin in Euch.***
Es gibt weitere Verse wo Jesus zu Gott als seinen Vater spricht. So auch das ***„Vater Unser".***

Im Buch: „Das göttliche Prinzip" auf Seite 24 heißt es: In Anerkennung der Position Gottes als innerem und maskulinem Subjektpartner, sprechen wir ihn als ***„Unser Vater"*** an.

CSG Seite 200 ***Ihr solltet wissen, wie bemerkenswert es ist, dass ich mit dem Namen der Wahren Eltern gekommen bin. Die Worte „Wahre Eltern" Diese Worte sind die am meisten gesegneten von allen Wörtern dieser Welt.***

CSG Seite 203 ***Der Messias ist Wahre Eltern. Gott schuf das Christentum und den christlichen Kulturbereich, um den Herrn der Wiederkunft zu empfangen. Der Herr der Wiederkunft kommt als dritter Adam und ist Wahre Eltern.***

CSG Seite 204 ***Gott hat nach einem Sohn gesucht, der die zentrale Person sein wird ....***

CSG Seite 206 ***Jesus, der vor 2000 Jahren kam, war der erste Mensch, der in der Herrlichkeit der Wahren Eltern auf die Erde kam***

In weiterer Folge wird die Bedeutung erklärt.

CSG Seite 208 **Der Messias ist Wahre Eltern, und wir müssen Wahre Kinder sein. Wir müssen uns im selben Bereich der Vorsehung befinden und daran teilnehmen.**
CSG Seite 296 **Wenn wir umdrehen, wohin sollten wir dann gehen? Wir sollten über die Welt heimkehren; wir sollten die Nation überwinden und in unseren Heimatort zurückkehren.Weil die gefallenen Vorfahren mit der Familie von Adam und Eva begannen, müssen wir diese Maske loswerden. Wir müssen die Namen der drei großen Vorfahren in den drei großen Zeitaltern reinigen. Adam fiel. Satan tötete den wahren Vorfahren der Menschheit. Die erste Generation, Adam, wurde durch diesen Fall zum Feind Gottes. Danach kam Jesus, der Messias, als die zweiten Wahren Eltern. Dieser Messias, der als Erlöser gekommen war, wurde von der Menschheit getötet, von seinen Söhnen und Töchtern, vom Volk. Wie groß ist die Sünde des Landes, das die Wahren Eltern gefangen und getötet hat? Davor können sie nicht davon laufen. Darum ist das Volk von Israel 2000 Jahre lang in fremden Ländern umhergeirrt. Wenn wir in die Geschichte zurückblicken, dann sehen wir, dass viele von ihnen mit einem Messer erstochen oder von Pferden getreten wurden, oder dass sie aufgrund tiefen Grolls oder eines Fluches wie Tau verschwanden. Nachdem sie es gerade noch durch eine 2000-jährige Geschichte geschafft hatten, gelang es ihnen, mit der Unterstützung von Amerika einen unabhängigen Staat zu gründen.**
Der Teufel tötete unsere Eltern, die Söhne und Töchter des Teufels töteten die zweiten Wahren Eltern und die Teufel der gesamten Welt haben versucht, die dritten Wahren Eltern zu töten, indem sie alle Ideologien und Systeme mobilisierten. Es ist erstaunlich, dass diese Wahren Eltern alle möglichen Gefahren und Schwierigkeiten überlebten und den Weg der Eltern verkünden konnten, den Weg der Wahren Eltern auf Erden!
Wie sehr hat sich Gott danach gesehnt.

CSG Seite 313 **Ich trage den Titel „Wahre Eltern". Was sollten Wahre Eltern tun? Rev. Moon als Wahre Eltern ist der globale und historische Repräsentant der Menschheit, der die Verantwortung trägt, euch vom Reich des Todes zu befreien, und euch auf den Weg des ewigen Lebens zu führen.**
CSG Seite 314 **Ich habe verkündet, dass ich die Wahren Eltern bin.**

Aus diesen Worten ist auch die innere Bedeutung des Wortes Wahre Eltern erkennbar. SMM, Herr der Wiederkunft, Messias und König aller Könige, im letzten Buch der Bibel,

in der Offenbarung auch als Menschensohn bezeichnet, ist der Träger des reinen Samens Gottes. Dieser Same hat das Potential, männliche und weibliche Nachkommen durch den Schoß einer Frau hervorzubringen.
Daraus versteht sich die innere Bedeutung, dass der Messiasa Wahre Eltern ist.
Dies betrifft auch die Position von Jesus.

Die Auswahl jener Frau, an der Seite des Messias.
God's Will and the world 395
Dieses Buch ist in Englisch geschrieben, ich bleibe bei der englischen Fassung.
Im Anhang befindet sich eine Deutsche Übersetzung der Zitate.

God is looking for the ideal woman who has the Qualifications and potential to become a true wife and true mother, and eventually the true queen or empress of the Universe. Every woman is a candidate for this position, which is why women in general have been given a chance to rise.
Hier beschreibt SMM, dass jede Frau, wenn sie die notwendigen Qualifikationen mitbringt, eine wahre Frau, eine wahre Mutter und auch Königin des Universums werden kann.

CSG Seite 1234 ***Wenn ich unmittelbar nach dem zweiten Weltkrieg auf dem siegreichen Fundament des Christentums und der Vereinigten Staaten auf der Grundlage des christlichen Kulturbereichs gestanden hätte, hätte ich dann Schwierigkeiten zu erleiden gehabt? Wenn sie mich in jenen Tagen akzeptiert hätten, wer wäre dann Mutter gewesen? Wenn Sung jins Mutter* nicht in der Lage gewesen wäre, diese Position einzunehmen, wer hätte sie dann ersetzt? Es wäre eine britische Frau gewesen. Aus der Sicht des Willens Gottes wäre es eine Frau aus Großbritannien gewesen. Die britische königliche Familie hätte mit mir eine Verbindung hergestellt. * Frau Sun-kil Choi war die erste Frau von SMM und Mutter von Sung jin somit SMMs erster Sohn.***

Was ist die Aufgabe von Hak Ja Han an der Seite von SMM als H.d.Wk. Messias, König der Könige und Wahre Eltern?
Eva hat im Garten Eden durch Ungehorsam Gott gegenüber, Adam zu Fall gebracht.
Um dies wiedergutzumachen, ist es notwendig, dass Hak Ja Han an der Seite ihres Mannes SMM absoluten Glauben, Gehorsam und Vertrauen auch in den schwierigsten Situationen schenkt.

Diesen schwierigen Kurs der ersten sieben Jahre, in dem sie alle seine Anweisungen zu befolgen hatte, beschreibt SMM im Buch:

God's Will and the World. Seite 576
Dieser längere Abschnitt trägt den Titel: **Mother's Course**

Auch die weiteren Jahre, ja ihr ganzes Leben ist dazu bestimmt, volles Vertrauen und Gehorsam ihrem Mann den ***Messias*** zu schenken, um als Braut Christi qualifiziert und von der Welt anerkannt zu werden.
God's Will and the World: Seite 583 ***Finally I found beautiful Mother and educated her.***
God's Will and the World: Seite 487
Mothers Position is sometimes not a happy one, yet she does not complain.
Hak Ja Han ist die ersten sieben Jahre an der Seite ihres Mannes geblieben, und hat sich nicht beklagt.
CSG 226 ***Der Weg, den die Mutter (Hak Ja Han in der Position Eva's), daher gehen sollte, liegt darin, Kain und Abel zu vereinen und dann zu Adam zurückzukehren. Deshalb kann ich, wie universell auch immer die Liebe ist, die Mutter erhalten möchte, ihr eine solche Liebe nicht geben. Das ist ihre Situation.***

In späteren Jahren bis zu seinem Übergang in die geistige Welt, spricht SMM auch in kritischer Weise über seine Frau Hak Ja Han.

Es gibt auch über 600 bekannte Bücher, in denen sämtliche Ansprachen von SMM zusammengefasst sind. Sie sind nur teilweise aus dem koreanischen ins englische übersetzt.

Wenn es keine deutsche Übersetzung gibt, bleibe ich immer bei der englischen Fassung.
SMM sagte am 15. Oktober, 1999 ***Therefor, if Mother,who is present here, has her own thoughts and builds her own nest it will become a big problem. Rev. Monn will not be tangled up in that. But if that inevitably happens, I will jump over that. I will build a mountain again. Now we entered the Completion Era and if Mother does not fulfill her respondsibility, there are plenty of candidates.***

SMM sagte am 11. May 2007 ***Mother must now perfect herself by June 16, 2013***

SMM sprach am 19. Jänner 2012 nach einer HDH Lesung, über seine Frau Hak Ja Han. Darüber gibt es nur handschriftliche Aufzeichnungen, da persönliche Videos nicht erlaubt waren. Das offizielle Video wurde nicht veröffentlicht.** (Siehe Seite 76)

SMM sprach während seiner letzten öffentlichen Ansprache am 16. Juli 2012, im Cheongshim Peace World Center. Während der Ansprache, die er vorlas, hörte er zu lesen auf, und sprach drei Sätze in das Auditorium.

Mother, she was raised by me, but there is no True Mother.
The position of the wife of the Rev. Moon is vacant.
She is doing as she pleases-according to her own whims! Hey!
Dann setzte er fort, seine Rede weiter zu lesen. Aus diesen Worten geht klar hervor, dass Hak Ja Han ihre anvertraute Position als wahre Mutter an der Seite ihres Mannes verlassen hat.

SMM auf der Suche nach seinem Erben und Nachfolger

God's Will and the World 420 ***When I die, who will take care of my God here on earth? I want to see someone emerge who can do that. I feel that I can give myself totally for 15 more years, and in that time I must find someone to succeed me.***

God's Will and the World 582 ***In this way, the heavenly tradition has already been established in the Unification church. My successor among my sons and daughters will be determined in the same way.***

SMM 16. April 2008 ***I can leave someone in charge of my work on my behalf. Currently, there is no one among our church members who surpasses Hyung Jin in his standard of faith or in any other way. Do you understand? „I am appointing him".***
SMM God's Will and the World 5. Juni 1983 Seite 651 ***After that registration is done, True Father will appoint his successor. That successor must be known to all the Unification Church, all the blessed couples and the True Parents Family. They must all unanimously accept him. Once that successor is determined, the law or constitution of the Heavenly Kingdom shall be laid down to guide all activities. The law will guide heavenly citizens here on earth and into the Kingdom of Heaven in heaven.***

SMM God's Will and the World 5. Juni 1983 Seite 649 ***There will always be a physical representative of the True Father here on earth, from one generation to another, there will be that axis on which the earth will turn. Therefore, all of you here on earth and all the people in the generations to come will be centered upon the same axis.***

SMM findet einen würdigen Nachfolger und Erben für sein Lebenswerk.

SMM 16. April 2008 ***I can leave someone in charge of my work on my behalf. Currently, there is no one among our church members who surpasses Hyung Jin in his standard of faith or in any other way. Do you understand? „I am appointing him"***

SMM Krönung von Hyung Ji Nim und Yeon Ah Nim

Am 15. Jänner 2009 Krönung von Hyung Jin Nim und Yeon Ah Nim im Cheon Jeong Gung Korea
Am 31. Jänner 2009 Krönung von Hyung Jin Nim und Yeon Ah Nim im Cheon Jeong Gung Korea
Am 31. Jänner 2009 Krönung von Hyung Jin Nim und Yeon Ah Nim im Manhattan Center in New York

SMM Declaration and Will 5. Juni 2010
The command center of cosmic peace and unity is the absolute and unique command center. It's representative and heir is Hyung Jin Moon. Anybody else would be a heretic and one who brings things to destruction. The above content is True Parents´ proclamation.

Einweihung von Hyung Jin Moon und Yeon-ah Nim Lee am 18. April 2008

Worte von SMM mit dem Titel „Become an Inheritor" aus dem monatlichen Magazin *„Todays World" vom Mai 2008* Zwei kurze Ausschnitte: Die ganze Ansprache ist auch im Bildteil verfasst.

Thinking of this beautiful young men and woman standing here, representing, Korea, the World, and furthermore the cosmos, I believe they are people you can take pride in. They will become the pillars of our house in the future. It is my hope and wish that the dutiful way of filial children, patriots, saints and divine sons and daughters will be fulfilled in relation to them. With that hope and wish, I as a parent, am looking upon them with a heart full of anticipation that surpasses yours. So I fervently and earnestly hope you will offer your support so that these intensions can be quickly fulfilled.

Hyung Jin Moon Yeon ah Nim Lee, these two, this son and daughter, a couple, are standing in front of the True Parents. At this time of transition today, this occasion is one where they can inherit autority as the representatives and inheritors who can attend to everything on behalf of True Parents. Therefore, let that realm of heart, which You were unable to experience, of blessing the son and daughter that did not fall in Eden, be carried on again in the era of the ideal heaven of the fourth Adam and all the way to that era where we can enter a time where we can assert ourselves in liberation and complete inner freedom and govern everything centering on God. This, Father, I fervently pray.

Aus diesen Worten von SMM können wir klar erkennen, dass dieses Paar, Hyung Jin Nim und Yeon Ah Nim Lee für die Weiterführung des gesamten weltweiten Fundaments zur Errichtung des Himmelreiches auf Erden eingesetzt wurden.

In den folgenden Jahren hat HJN besonders in Korea durch Gottesdienste und viele Aktionen die Bewegung geführt. Seine Aktivitäten und Ansprachen sind auch im monatlichen Magazin Todays World speziell von 2008 bis 2013 nachzulesen. Ab Februar 2013 war er plötzlich von der Bildfläche verschwunden.

Was war passiert, als das physische Leben von SMM dem Herrn der Wiederkunft, Messias und König aller Könige im Jahr 2012 zu Ende ging, und er in die geistige Welt hinüber gegangen ist. Wie wir schon gelesen haben, ist seine Frau Hak Ja Han in den letzten Jahren nicht mehr seinen Anweisungen gefolgt, und hat ihre Position an der Seite von SMM dem Messias verlassen. SMM hat auch schon Jahre zuvor einige Aussagen über die Mitglieder, und im besonderen über die engere Leiterschaft gemacht.
CSG Seite 1228 SMM geht auf die 4000 jährige Geschichte Israels von Jakob bis Jesus ein. Die Schwierigkeiten die Moses zu überwinden hatte. Zitat: ***und was ist mit euch? Bis jetzt habt ihr nur herumgealbert, wie Spitzbuben.***

CSG Seite 1285 SMM spricht zu Mitgliedern: ***Glaubt bloß nicht, dass ihr, wenn ihr der Vereinigungskirche beitretet und nun in einer lässigen und unbekümmerten Weise dasitzt, in das Himmelreich eingehen werdet. Ihr müsst den Herzensbereich erben. Wann werdet ihr die Wiederherstellung durch Wiedergutmachung erfüllen? Ich sage euch, ihr solltet hingehen und es tun, aber wann seid ihr gegangen?***

Gods Will and the World 362 ***Our enemies will not only create national and worldwide protest against me, but will use dirty tactics, to undermine us. For example communists will infiltrate our ranks and behave like dedicated members. Once they are trusted they will begin to make all kinds of trouble, and ultimately their actions will reflect back on me. That is their goal, and I am clearly aware of this tactic. How pitiful my situation is. Already I am receiving all kinds of accusation and persecution from outside, but even worse, there are people who are calculating how to shame me from within the Unification Church. Their is no place where I can escape the heated battle.***

CSG Seite 245
Unter den Familienmitgliedern der Vereinigungskirche von heute gibt es Mitglieder, die wahre Mitglieder sind, und andere die das Gegenteil sind. Es gibt auch Familienmitglieder die dazwischen stehen. Was für ein Mensch ist ein wahres Familienmitglied? ... Nur jene die dem Erlöser wahrhaft folgen, können wahre Kinder und wahre Brüder und Schwestern werden.

Diese Aussagen zeigen einen weiteren Aspekt des extrem schwierigen und opferbereiten Weges, den SMM sein ganzes Leben hindurch gegangen ist. SMM ist seit Anfang seines Wirkens darauf bedacht, jeden Menschen die Möglichkeit zu geben, sein Leben aus der Herrschaft Satans durch Überwindung seiner gefallenen Natur zu erwirken, und zur Herrschaft der wahren Liebe Gottes durch absoluten Glauben, absolute Liebe und absoluten Gehorsam dem wiedergekehrten Christus und Messias gegenüber zu gelangen.

Die Segnungen, die SMM seit seiner eigenen im Jahr 1960 eröffnete, und im Laufe der Jahrzehnte in immer größeren Umfang ausdehnte.

Wie wir aus dem Bericht des Sündenfalls gehört haben, wurde die Menschheit durch Satan in eine falsche Erblinie hineingeboren. Jesus sagte: Ihr seid vom Vater den Teufel *Joh. 8:44* Satan ist der Fürst oder der Herr dieser Welt *Joh. 12:31*
CSG Seite 137 ***Da die Menschheit satanisches Blut empfangen hat, können Menschen nicht auf sich alleine gestellt zu Gott zurückkehren. Darum muss der Messias die absolute Wiederherstellung der Erblinie verwirklichen, und so die Erblinie erneuern, die von Satan beschmutzt worden war. Dieser Übergang muss erfolgen. Darum muss der Messias mit Sicherheit kommen. Ohne sein Kommen wird es keine Wiederherstellung***

der Erblinie geben. Wir müssen die Erblinie wiederherstellen.

CSG Seite 219 ***Die Frage ist: Wie können wir, nachdem wir den falschen Samen des Lebens erhielten, den ursprünglichen Samen erhalten? Der Messias muss auf die Erde kommen um auf diese Frage einzugehen, und den Samen des Messias säen, den neuen Lebens-Samen der Wahren Eltern. Wir können diesen Samen ohne die Wahren Eltern nicht erhalten. Dadurch werden wir zur Position des ursprünglichen Olivenbaumes zurückkehren.***

CSG Seite 301 ***Da die Menschen mit der Erblinie des Feindes Satan geboren werden, müssen sie zuerst diese Erblinie des Feindes Satan beseitigen und dann die Erblinie Gottes und der Wahren Eltern erhalten. Um das zu erreichen, muss jeder mit Gott im Herzen eins werden. Auf der Basis dieser Einheit des Herzens sollten sich die Menschen mit der himmlischen Erblinie verbinden und ein Ast und ein Blatt des Baumes werden, dessen Wurzel Gott ist; sie sollten eine Inkarnation Gottes werden und dadurch auf Erden einen absoluten Standard errichten, um Satan zu unterwerfen. Nur dann wird die Geschichte der Wiederherstellung voranschreiten.***

CSG Seite 1298 ***Die Segnung ist ein ewiger Schatz. Sie ist das Versprechen, eine Erblinie zu beginnen, die sich über zehntausend Generationen erstrecken wird. Darum wird es, wenn ihr die Segnung verunreinigt, Auswirkungen auf euren gesamten Klan haben, genau wie die Kreuzigung Jesu Auswirkungen auf die ganze Nation Israel hatte.***

CSG Seite 320 ***Bis jetzt ist die gefallene Welt mit den falschen Eltern verbunden gewesen. Wenn ihr den Wahren Eltern nachfolgt und dient, ist es leicht, horizontal angepfropft zu werden. Dies wird in der Familie geschehen.***

Bei jeder Segnung wurde zuerst die Heilige Wein Zeremonie durchgeführt. Jedes Paar der ersten Generation erhielt diesen Heiligen Wein, zuerst die Braut dann der Bräutigam. Dieser Heilige Wein; was beinhaltet er? Der Messias ist der Reine, der Gesalbte, der aus der reinen Linie Gottes Kommende. Jesus wird auch als der Wahre Ölbaum bezeichnet.
Wir, die Menschheit, sind vom wilden Ölbaum abstammend. Adam, der reine Ölbaum, wurde durch den Fall zum wilden ÖLbaum. Jesus kommt aus der Wurzel Gottes, dem reinen Samen Gottes, der zur Wurzel und zum Stamm wurde; zum reinen Ölbaum, zum

Baum des Lebens. Dies war auch Adams Ziel. Aber durch den Fall, wurde Adams Same beschmutzt. Jesus der Träger des Samens des wahren Ölbaumes, des Baumes des Lebens, kann uns an seinem Stamm, der aus der Wurzel kommt, die direkt aus Gott kommt, uns Menschen wieder an seinem Baum, den Wahren Ölbaum einpfropfen. Um diesen wertvollen Samen des Wahren Ölbaumes zu vermehren, hatte Jesus seine Hochzeit, die Hochzeit des Lammes verzweifelt herbeigesehnt. Dadurch hätte er seinen Samen in seine Frau verpflanzt, und an seine Kinder vererbt. Die Menschen zu seiner Zeit, in erster Linie seine Apostel und Jünger, in Folge das ganze Volk, wären durch Pfropfung an Jesu wahren Stammbaum angebunden und geheiligt worden. In diesem Zusammenhang sollte jeder Mensch seine schmutzigen wilden Zweige, die mit Macht, Gier, Neid und sexuellen Ausschweifungen verseucht sind, abtrennen und ins Feuer werfen.
Röm. 11:17 Da Jesus seine Hochzeit, die Hochzeit des Lammes nicht vollziehen konnte und am Kreuz starb, konnte er auch diesen Vorgang der Pfropfung nicht durchführen. Durch seine völlige Hingabe für die Menschheit, bewirkte er seine Auferstehung, und durch die Aussendung des Heiligen Geistes, wurde diese Pfropfung auf geistiger Ebene mit Jesus und dem Heiligen Geist vollzogen. GOTT ist ein ewiges, vollkommenes, absolutes, unveränderliches, allgegenwärtiges Wesen, dessen Attribute von männlich und weiblich, in den mannigfaltigen Wesenheiten vom Mineralreich bis zum Menschen, in Form von plus und minus, bzw. männlich und weiblich zum Ausdruck kommt. Daher steht Gott in der absoluten Subjektposition dem gesamten geschaffenen Universum gegenüber; welches in der Objektposition steht. Und wir Menschen sind in die höchst ehrenwerte Position der Kinder Gottes gestellt. Aus dieser Position heraus sind wir berechtigt, Gott als unseren Vater anzusprechen. Er ist mein himmlischer Vater, dein Himmlischer Vater, ja die gesamte Menschheit kann Gott als himmlischen Vater ansprechen. Da Gott männliche und weibliche Attribute in sich trägt, steht er als der Ewige, der Eine und liebende Gott uns Menschen auch in der Position von himmlische Eltern gegenüber. Jesus ist der erste Mensch, der die Position eines Wahren Sohnes erfüllt hat. Taufe *Jesus: Matth. 3:17*
Und eine Stimme aus dem Himmel sprach: Das ist mein geliebter Sohn, an dem ich gefallen gefunden habe.
Jesus fand keine Frau. 40 Tage nach Jesu Auferstehung erschien er seinen Jüngern und sie begannen in Zungen zu reden. Der heilige Geist strömte über die Apostel aus. Diese Gnadengaben kommen in verschiedenster Form und Fähigkeit von dem einem Geist Gottes zum Ausdruck. *Bibel: 1. Kor. 12, 1-11*

GOTT
Jesus hl. Geist
Neugeburt
Christentum
Da Jesus die Propfung (Befreiung von der satanischen Blutslinie) auf physischer Ebene nicht vollziehen konnte, versprach er ***„die Wiederkunft".***

SMM Herr der Wiederkunft, Messias und König aller Könige hat sich dieser Hauptaufgabe sein Leben lang gewidmet; indem er seine eigene (Hochzeit des Lammes) und die Segnungen mit der Heiligen Wein Zeremonie durchführte. Dieser heilige Wein ist der mit Blut, Schweiß und Tränen getränkte Same des Herrn der Wiederkunft und Messias, des Wahren Ölbaumes, des Baumes des Lebens.

Der Messias ist der Stammvater dieser neuen Erblinie, und jedes Brautpaar wird durch den heiligen Wein und die Segnung an den Wahren Olivenbaum angepfropft. Röm. 11:17
Dieser zarte Zweig braucht in der Folge viel Schutz und Pflege, damit dieser wachsen und gedeihen kann. Das ist die Verantwortung jedes einzelnen Paares dies zu tun. Deshalb ist die Segnung auch eine bedingte Segnung. SMM spricht auch, dass wir die Segnung auf drei Stufen uns erarbeiten müssen. Auf der Gestaltung, der Wachstum- und auf der Vollendungsstufe. Dies gilt auch für SMM den Messias und seine Braut, Hak Ja Han.
SMM erwähnt dies auch in den Büchern ***"Blessing and Ideal Family"***
Band 1 Teil 2 Seite 9
When I give the Blessing, I first ask,"If you make a mistake, will you take responsibility for it?" Thus it is a conditional Blessing ... But since you have not advanced to that standard, a conditional Blessing is given.Thus you have to receive Blessing once again in the future.

Seite 10 ***...You can receive the third Blessing after having gone through that process.***

The Blessing I have given you is on a tribal standard.You have received the Blessing representing a nation from the tribal standard. You must receive the Blessing three times. ...

Ich kann mich erinnern, im Jahr 2003 erhielten alle gesegneten Familien eine Segnung mit einer Heiligen Wein Zeremonie, zur Vergebung der verschiedensten Fehler die wir begangen haben. So auch die Familien in Wien, und Österreich.

Das Vermächtnis von SMM, Herr d. WK. Messias, König aller Könige!

SMM hat für die Menschheit 8 Textbücher zusammengestellt, die heute, morgen, und für alle Zukunft der Menschheit als Lehrmaterial zur Verfügung stehen.
SMM wiederholte mehrere Male eindringlich, seine geschriebenen Worte nicht zu ändern. Dies habe ich auch noch in guter Erinnerung, als an einem Sonntag bei einer Feierstunde verkündet wurde, dass SMM die sogenannten 8 Textbücher für die Menschheit zusammengestellt hat, und kein Wort darin weggenommen, und kein Wort hinzugefügt werden darf.

Ansprache vom 26. April, 2005 Band 493-287 ***Zitat: Also, I don't want anyone newly changing (or edithing) anything amoung the things I wrote.They don't know why the content is the way it is. If they change the content without knowing, then they will be judged by everyone when they go to the other world.They will be charged for it. That's why nobody should touch it without (my) permission.***

Diese Worte sprach SMM während einer 8 Städte Ansprachentour in Korea von 8. - 15. Jänner 2012
I am leaving behind eight Textbooks and teaching materials for humankind to use for Eternity. Altogether, these are published in almost a thousand volumes. They are: The Sermons of the Rev, Sun Myung Moon, Exposition of the divine Principle, Cheon Seong Gyeong, The Family Plegde, Pyeong Hwa Shin Gyeong, True Families: Gateway to heaven, Owner of Peace and Owner of Lineage, and World Scripture. These are Textbooks you will have to read and study even after you go to the spirit world.

Sehen wir uns nun an, welche Aussagen und Aktionen Hak Ja Han nach dem Ableben ihres Mannes SMM gesagt und umgestzt hat.

Hak Ja Han ignorierte die Anweisungen ihres Mannes SMM und ordnete an, die Textbücher zu verändern bzw. zu ersetzen. Dies begann bereits im Jahre 2012. Anfang 2016 habe auch ich meine bestellten 3 Bücher in Englisch erhalten. Diese sind: Cheon Seong Gyeong,(stark reduziert und mit Worten von Hak Ja Han ergänzt) Pyeong Hwa Gyeong, Cham Bumo Gyeong.

Hier einige Zitate, die Hak Ja Han in ihrem Buch Cheon Seong Gyeong hinzugefügt hat: *CSG 1358/7 (Hak Ja Han)* ***At this transitional point in providential history, I want to make clear that I shall inherit True Father's victorious foundation and stand at the forefront to lead the providence on earth. While doing so, there are several things I would like to convey to everyone.***
Dieselben Worte sind auch im Today's World Magazin September- Oktober 2012 Seite 69 zu lesen. Der Titel ihrer Ansprache lautet:
Let us Inherit the Realm of True Parents' Victory and begin a Future Filled with Hope September 17, 2012 Cheongshim Peace World Center. Diese Ansprache hielt Hak Ja Han bereits zwei Tage nach der Seonghwa Ceremony von SMM. Seonghwa bedeutet: Zeremonie des friedlichen Übergangs in die geistige Welt.

Dazu stellte ich fest: Ihre Ansprache hat Hak Ja Han aus Ansprachen von SMM entnommen, und mit ihren eigenen Worten ergänzt. Das bedeutet: Zwei Tage nach der großen Verabschiedung von ***Sun Myung Moon*** hat ***Hak Ja Han*** zu den Worten des Herrn der Wiederkunft und Messias ihre eigenen Worte und Vorstellungen hinzugefügt. Ein kurzer Abschnitt dieser Rede, dessen Inhalt mir aus den Worten von SMM in Erinnerung blieben. Zitat: ***The authority of the teachings contained in the eight great textbooks and teaching materials is solely True Parents authority, and this must be preserved as the eternal tradition, without any change, for all future generations.***

Nun ist meine Frage: Warum hat Hak Ja Han nicht erwähnt, dass der Inhalt ihrer Rede hauptsächlich aus Ansprachen ihres Mannes, dem Messias entnommen wurden? Wenn jemand eine Ansprache gibt, und es werden Aussagen von anderen Personen verwendet, so ist es meines Wissens Pflicht, dies in der Ansprache zu erwähnen. Weiters scheint Hak Ja Han ihr eigenes Verständnis vom Recht auf Gleichheit und das halten der gleichen Position als Mann und Frau. (Wahre Eltern) zu haben. Zitat aus der Gleichen Ansprache:
On that victorious foundation, we the True Parents, gained, in a providential dimension, the right of equality, the right to live together and the right of holding the same position bestowed on us by Heaven. Mann bleibt Mann, und Frau bleibt Frau, das sind zwei verschiedene Positionen, die sich einander ergänzen und eins werden können.
SMM, hat von Anbeginn, besonders die ersten sieben Jahre, Hak Ja Han mit der himmlischen Tradition erzogen. Hak Ja Han sagt: Niemand hat ihr gesagt was zu tun ist, auch nicht Vater.

CSG 1361/17 (Hak Ja Han) ***When I met True Father for the first time. I set two goals for myself: to conclude the providential history of restoration through indemnity, and to realize God's ideal world of creation. Nobody not even True Father, told me what to do. But I realiced that my failure to do this would make it more difficult for later generations. Therefore, my position today is the result of my constant effort to complete my mission.***

CSG 1362/20 (Hak Ja Han) Hak Ja Han verändert die Worte von SMM

All of True Father's words and actions are like uncut jewels. I want to create something of the greatest value out of those jewels, and keep it close to me where I can love it freely. You may feel the same way. As the first step, I will polish the words of Cheon Seong Gyeong, creating a juwel without which you cannot live. On the last day of your life, you will want to take this juwel with you to the spirit world. That is why I am working on this.

Sie hat nicht nur ein Wort von CSG verändert, sondern ein neues Buch geschrieben. Das ist ein krimineller Akt ihrem Mann SMM dem Messias und König aller Könige gegenüber, der eindringlich davor gewarnt hat, kein Wort seiner Schriften zu verändern.
Aus diesen Kommentaren geht sehr deutlich hervor, dass Hak Ja Han schon Jahre zuvor an der Seite von SMM daran gearbeitet hat, ihre eigenen Vorstellungen von Wiederherstellung durch die "Only begotten Daughter" zu kreieren, und im Laufe der Jahrzehnte, mit Unterstützung so mancher engerer Leiter, auf den Tag zu warten, wo sie die Herrschaft an sich reißen kann. Dies geschah während des Hinübergehnes von SMM in die geistige Welt.

Hier ein kleiner Absatz aus der Ansprache: ***Owner of Peace, Owner of Lineage, (Lords of Peace, Lords of Lineage)*** von SMM, Today's World Juli-August 2009 Seite 4

Just because something is big doesn't mean it can act like a king. A king needs a queen. When the partner is no longer there, the king, too, ceases to exist. It is important to understand the principle of heaven, earth and humanity.

Aus diesen Worten kann ich entnehmen, dass ein König rechtzeitig für seine Nachfolge zu sorgen hat, was SMM ausführlich und unmissverständlich durchgeführt hat.

Weiters ordnete Hak Ja Han während des Jahres 2012, noch bevor SMM am 3. September in die geistige Welt ging, die Sammlungen der Bücher von der Nummer 594 aufwärts wegzunehmen, und mit veränderten Ausgaben zu ersetzen.

Gelöschte Passage: Beispiel: 1, Band 607, Seite 310

How many years and months are left (until Ki Won Jeol)? (ist ein Feiertag) If Mother does not reach the level of responsibility she must take until that time, a problem will happen. That is why I have taken and fulfilled all responsibilities myself.

Since I have done this for her, as long as she does not vent her anger or throw a punch, everything will be alright.

Gelöschte Passage: Beispiel: 2, Band 614 Seite 141

...because Mother fell, she has to take responsibility to restore herself.

These guys going around philandering cannot do it.

An diesen Passagen können wir sehen, dass Hak Ja Han ihre Verantwortung an der seite ihres Mannes SMM nicht befolgte und eigene Wege ging.

SMM, der Messias, Herr der Wiederkunft und Wahrer Vater sagte ausdrücklich, niemand ist berechtigt seine Worte und Lehrbücher für die gesamte Menschheit zu ändern. Weder etwas wegzunehmen, noch etwas hinzuzufügen. Es steht nirgends geschrieben, dass SMM seiner Frau Hak Ja Han die Erlaubnis gegeben hat, seine Worte, (die göttlichen Prinzipien, seine Ansprachen in beinahe 1000 Bänden) welche die Worte Gottes sind, zu verändern.

Today's World, Ausgabe Jänner 2014 Ansprache von Hak Ja Han am 8. 12. 2013 zu Mitgliedern in Las Vegas: Titel der Ansprache: What makes one's existence valuable?

Hie einige Zitate aus ihrer Ansprache: Bezugnehmend auf die Probleme des Einzelnen bis zur Weltebene, ...this is not the ideal world our Creator, ***the heavenly Parent,*** originally created. Unser Schöpfer Gott ist unser ewiger, unveränderlicher, einzigartiger, vollkommener, liebender Gott, mit den Attributen von männlich und weiblich. In diesem Sinne können wir ihn auch als unsere himmlische Eltern verstehen. Gott besitzt dieses elterliche Herz, das die Menschheit als seine Kinder mit wahrer Liebe umarmen möchte. Gott ist und bleibt als Erschaffer und Inszenierer des gesamten Universums und uns Menschen der absolute Subjektpartner und Zentrum des Universums. Wir Menschen in der Position seiner Kinder und Objektpartner dürfen deshalb Vater zu ihm sagen. So wie es Jesus schon gelehrt hat.

Nach einigen Absätzen sagt Hak Ja Han folgendes: I work on too many things because "I am one with the True Parents" Im Koreanischen bedeutet diese Aussage wörtlich "weil ich bin die wahren Eltern". Das entspricht nicht den Aussagen von ihren Mann Sun Myung Moon.

Nach weiteren Absätzen sagt Hak Ja Han: Bezugnehmend auf das erfolgreiche Fußballteam in Seongnam, welches SMM mit Begeisterung unterstützte sagt sie: ***I gave the Chunma Ilhwa soccer team to the city of Seongnam. The reason I am saying this is... the soccer team could have been preserved, but I did it for you. To spur the worldwide missionary work, I decided to halt outside activities. Do you understand?*** SMM hat mit so viel Freude in das Team investiert, jetzt gibt sie es an die Stadt, um Geld für die weltweite Mission zu beschaffen. Welch eine fragwürdige Aktion? Mittlerweile wurden weitere Objekte verkauft:

Nach weiteren Absätzen sagt Hak Ja Han: Bezüglich eines 21 Tage Workshop in Korea: During the twenty-one-day workshop, they completed reading "Cheon Seong Gyeong" once. I asked all members to finish reading CSG before the new year, but because the english CSG has not been completed, you have not been able to do that. Hak Ja Han bezieht sich auf "ihr" umgewandeltes und neu geschriebenes CSG, welches in der englischen Ausgabe noch nicht fertig übersetzt war. Das original CSG von SMM wurde in der englischen Ausgabe im May 2006 fertiggestellt. Ein weiteres Zeichen der Missachtung des Wortes Gottes, das von SMM dem Messia und König aller Könige für die Menschheit übermittelt wurde.

Daraus geht hervor, dass Hak Ja Han den Anweisungen ihres Mannes SMM nicht gefolgt ist, darüber hinaus sogar seine geschriebenen Worte, das Wort Gottes, eigenmächtig verändert, verdreht und entweiht hat. Zudem hat sie den Fall, der im Garten Eden passiert ist, auf weltweiter Ebene wiederholt. Satan hat auf listige Weise durch einige Leiter, die ebenfalls nicht auf die Anweisungen von SMM gehört haben, die repräsentative Eva (Hak Ja Han) zu Fall gebracht. Der von SMM angekündigte Foundation Day (D- Day) genannt, wäre sowohl für den Messias und seine Braut, als auch für sämtliche gesegneten Familien weltweit, als Segnung auf der Vollendungsstufe, und auch als Beginn des himmlischen Königreiches in Korea ausgerufen worden. Das wäre wahrlich ein glorreicher und siegreicher Tag für Gott, die Wahren Eltern, und allen gesegneten Familien geworden. Letztlich hätte nach und nach, die gesamte Menschheit durch die Heilige Wein Zeremonie und die Segnung, an die Wahre Erblinie durch den Messias, den von Gott Gesalbten, mit seiner glorreichen Braut angepfropft werden können. SMM hat auch all die Jahre immer wieder betont, dass wir eine Nation brauchen. Korea wäre als das Heimatland von SMM die vorgesehene Nation geworden, in der das Königreich Gottes, das Himmelreich auf Erden seine Anfang genommen hätte.

Als im Jahr 2008, SMM seinen jüngsten Sohn ***Hyung Jin Nim*** zusammen mit seiner Frau ***Yeon Ah Nim*** als Nachfolger und Erbe bestellte, bat er Hyung Jin Nim's älteren Bruder, Kook Jin Nim, er möge seinen jüngeren Bruder als Träger des Erbes unterstützen. Was dieser bei seiner mit viel Emotionen geführten Ansprache, mit Herz und Verstand und absoluten Gehorsam annahm.
Kook Jin Nim war in diesen Jahren von seinem Vater SMM beauftragt, die in finanziellen Schwierigkeiten geratenen kirchlichen Unternehmungen wieder flott zu kriegen; woran er zu dieser Zeit mit Erfolg arbeitete.
Durch den Übergang von SMM in die geistige Welt am 3. September 2012 konnte dieser Foundation Day im Februar 2013 mit dem Messias und seiner Frau nicht verwirklicht werden. Er wurde dennoch von Hak Ja Han durchgeführt, aber die Mitglieder, so auch ich wurden über die wahre ursprüngliche Bedeutung dieses Tages nicht vollinhaltlich informiert. So fühlte ich bei dieser Segnungsfeier eine gedämpfte Stimmung, auch deshalb, da ich den Schock über das plötzliche Hinübergehen des Wahren Vaters in die geistige Welt noch nicht wirklich verkraftet und realisiert hatte. Hyung Jin Nim hatte nach seiner Amtseinführung seit 2008 besonderes Augenmerk auf die Sonntagsgottesdienste gelegt. Seine Predigten konnten wir via Internet jede Woche verfolgen. Wie schon erwähnt, gab es plötzlich Anfang März 2013 keine sonntäglichen Predigten mehr zu sehen. Er wurde von Hak Ja Han nach USA geschickt, um dort zu wirken. Darüber war ich verwundert, und dachte mir, vielleicht hat Vater vor seinem Hinübergehen mit seiner Frau diese Dinge noch besprochen. Es dauerte nicht lange, und Hyung Jin Nim war auch von dort abgelöst, und verschwand völlig von der Bildfläche. Da ich von Anbeginn absolutes Vertrauen in SMM den Messias und seiner anvertrauten Frau Hak Ja Han gesetzt hatte, machte ich mir auch nicht viel weitere Gedanken über das Verschwinden von Hyung Jin Nim.

Eine außergewöhnliche Reise

Madeleine, meine Frau, war in dieser Zeit viel im Internet unterwegs, und entdeckte ab September 2014 Videos von HJN wie er zunächst Lagerfeuer im Schnee inszenierte, und wieder begann, an seinem Zufluchtsort Sonntagsgottesdienste zu gestalten. Ich hab das Spiel mit dem Feuer anzünden im Schnee mit dem kleinen Zelt dahinter, amüsant, und als Hobby von HJN interpretiert. Ich war auch immer ziemlich beschäftigt, an meinem Vorhaben und Ideen zu arbeiten, sodass ich seine Predigten auf Grund meiner ungenügenden Englischkenntnisse nur teilweise verfolgte.
Madeleine war aber schon seit längerer Zeit hellhörig über so manche Ungereimtheiten die über die Koreanische Führung und im besonderen über die Vorgänge in Cheong Pyong kursierten. Trotz vermehrter Gerüchte über Korruption in der Führungsetage unserer Bewegung, blieb ich ein treuer Gefolgsmann Mutter Hak Ja Han gegenüber, und sah mich auch nicht in der Lage dem Gerede nachzuspüren. Ich war zwar überrascht, als ich von einer Spaltung hörte, die mit HJN zu tun hatte, und Madeleine wurde immer lebendiger, und sagte zu mir: Ich möchte nach PA fliegen. Gute Idee stimmte ich zu, dann können wir gleich HJN fragen was wirklich los ist. Madeleine hatte auch herausgefunden, dass Herwig und Angela Schmid dort wohnen, wir kannten sie ja von früher recht gut, auch einen französischen Bruder kannte Madeleine von früher. Madeleine regelte den Aufenthalt, ich das Geld, und innerhalb einer Woche hatten wir spontaner Weise im Oktober 2016 ein sehr günstiges Flugticket für PA in der Tasche. Ein lang ersehnter Wunsch meinerseits, nämlich zumindest eines der Kinder der Wahren Eltern persönlich kennen zu lernen, flammte in mir wieder auf.
Herwig hatte uns am Flughafen Newark mit seinem großzügig an Platz ausgestatteten, aber doch schon in die Jahre gekommenen amerikanischen Van abgeholt. Die zweieinhalb stündige Fahrt war gefüllt mit Herwigs Schilderung über seine abenteuerliche Landung in PA. Die Ortsnamen in dieser Gegend beinhalten Botschaften von besonderer visionärer Brisanz, wie uns während unseres Aufenthaltes bewußt wurde. Zum Beispiel gibt es Ortsnamen wie" Newfoundland", das ist der Ort wo das Kirchengebäude steht. Oder „Lords Valley" oder "promised Land"
Herwig brachte uns zu unserer ersten Unterkunft im Haus eines französisch-japanischen Ehepaars. Dort stellte sich zu unserer Überraschung heraus, nachdem uns das Gesicht der Japanerin bekannt vorkam, dass sie ca. zehn Jahre in Wien lebte, und in der österreichischen Bewegung mitwirkte. Bei nächster Gelegenheit besuchten wir auch das Kirchengebäude in Newfoundland. Dort erfuhren wir, dass HJN in den nächsten

Minuten mit seinem Wagen ankommen wird. Mit Spannung schaute ich mich um, als ich hörte, dass HJN gerade herangefahren kommt. Ich sah auch das Fahrzeug mit ihm am Steuer, wie er am Haupteingang vorbeifuhr, um die Ecke bog, und dort parkte. Ich dachte, ich werde mich heranpirschen, mit der Hoffnung ihn direkt ins Blickfeld zu bekommen. HJN war gerade beim aussteigen, als ich mich dem Fahrzeug näherte. Auch einige Geschwister hatten sich beim Fahrzeug versammelt. Ich kam direkt auf HJN zu, und stellte mich vor: Hello, I am Johann from Austria!!

Oh, from Austria, erwiderte HJN, und strahlte mich an, was in mir Gefühle des Glücks und der Freude aus meinem Herzen hervorsprudeln ließ. Die Tatsache, HJN auf so einfache, unkomplizierte Weise getroffen zu haben, beflügelte meine Neugier auf meine brennenden Fragen. Madeleine hielt sich mit Angela Schmid am Haupteingang auf, als HJN kam und Angela umarmte, und Madeleine ebenso, die neben ihr stand. Sie war überrascht eine Umarmung von HJN gerade bei der ersten Begegnung zu bekommen. HJN hatte verschiedene Dinge zu tun. Ich sah mich zunächst im Eingangsbereich um, und in der anschließenden Halle, wo die Gottesdienste und Feierlichkeiten abgehalten werden. Mein erster Eindruck, nachdem ich in der Eingangshalle neben einem Foto unseres Wahren Vaters und Messias SMM auch ein Bild von Jesus erblickte, war, ich befände mich in einer mit christlichen Geist erfüllten Kirche. Christliche Kirchen habe ich jedoch als überholt betrachtet, da sie seit Anbeginn in Korea, das Wirken von SMM, den Herrn der Wiederkunft, Messias und Wahre Eltern nicht erkannten, und ihn deshalb ablehnten. Auch die zehn Gebote Gottes konnten auf einer Wand in der Eingangshalle gut gelesen werden. In der Haupthalle erblickte ich im Zentrum ein großes Foto von SMM, unserem Ewigvater, Friedensfürst, Messias und Wahre Eltern, ohne seine Frau.
Beim Gottesdienst am Sonntag sagte Hyung Jin Nim, dass er seine Mutter liebe, aber nicht ihre Taten. Am Nachmittag hatten wir die Möglichkeit bei einer Frage-und Antwortstunde dabei zu sein. Jeder konnte HJH und KJN Fragen stellen. Wobei KJN die meisten Fragen beantwortete. Auch ich stellte KJN eine brennende Frage, Hak Ja Han betreffend.
Seine Antwort war bestürzend und schockierend. Neben einigen Erklärungen sagte er, Hak Ja Han sei gefallen, was extreme Konsequenzen für die Mitglieder der VK weltweit bedeutete. Dies war mir in diesem Augenblick bewußt.
Im Original Band: 614, Seite 141 steht geschrieben:
...because Mother fell, she has to take responsibility to restore herself. These guys going around philandering cannot do it.

Ich bin ja hierher gekommen, um die Wahrheit über so manche Gerüchte zu erfahren. Sowohl HJN als auch KJN haben erst nach und nach erfahren, was sich in den Jahren um 2012 und 2013 hinter den Kulissen abgespielt hat.
Tim Elder, ein amerikanischer Bruder, der ebenfalls viele Jahre in Korea war, auch koreanisch spricht, habe ich gefragt: Er erzählte mir so manche Einzelheiten, die auch er erst um die Zeit des Foundation Days wahrgenommen hatte. So gab es in der engeren Leiterschaft Mitglieder, die schon Jahre zuvor den Anweisungen von SMM nicht folgten, um es gedämpft auszudrücken. Ansprachen wurden nicht vollständig übersetzt, und manche Ausschnitte durften nicht in die offizielle Niederschrift für die Mitglieder hineingenommen werden. Über Hak Ja Han sagte er, dass sie in ihrer Freizeit, wovon sie doch genug zur Verfügung hatte, am liebsten zu Hause im Wohnzimmer saß, sich koreanische Serien in Form von Dramen im Fernsehen ansah, und in den Modemagazinen blätterte.

Diese Worte hörte ich auch von HJN während einer Predigt beim Gottesdienst. Hak Ja Han hatte im Laufe der Jahre Resentments ihren Mann SMM gegenüber, wegen ihres zweifellos schwierigen öffentlichen und privaten Weges der Wiederherstellung angehäuft. Koreanische Leiter um sie herum unterstützten sie in ihrem Denken.

SMM sagte am 15. Oktober 1999 The selected speeches of Rev. Sun Myung Moon (Korean) Band 312 Seite 177 „The Providence through the Blessing"

Therefore, if Mother, who is present here, has her own thoughts and builds her own nest it will become a big problem. Rev. Moon will not be tangled up in that. But if that inevitably happens, I will jump over that. I will build a mountain again. Now we entered the Completion Era and if Mother does not fulfill her responsibility, there are plenty of candidates.
Untersuchen wir nun die Konsequenzen, die aus ihren Handlungen resultieren.
Da Eva im Garten Eden durch eine List von Luzifer zu einer sexuellen Handlung mit ihm verführt wurde, schlitterte sie unter seine Herrschaft der falschen egozentrischen Liebe.
Luzifer, der zu Satan wurde, wurde der Vater der falschen machthaberischen Liebe. Eva verführte Adam, indem sie eine sexuelle Beziehung unter der Amtsführung von Satan mit Adam einging. ***Gen. 3, 1-24, Joh. 8:44***
SMM ist der Herr der Wiederkunft, der Messias, der Reine und Gesalbte, der König al-

ler Könige, um es zum Wiederholten Male zu unterstreichen, der aus dem Herzen der gereinigten Blutslinie Gottes unseres Vater hervorkam, und in der Position des wiederhergestelten Adam steht, hat durch sein vergossenes Blut, Schweiß und Tränen die Autorität erlangt, eine Frau in der Position Evas wiederherzustellen. Daher ist es für die Frau in der Position der historischen Eva absolut notwendig, den Anweisungen ihres Mannes des Messias Folge zu leisten.
SMM sagte: Im Buch Blessing and Ideal Family „The Holy Wedding of True Parents and the Blessed Family" Seite 399
The first seven Years after the Holy Wedding Ceremony were the period to raise up Mother with heavenly education. During this period, Father continually prayed for this day and night. Even Mother didn't know all the significance behind this period, but Father substantially restored the heavenly daughter, heavenly spouse and the standard of True Parents, all of which were lost by the Fall.

Worte von SMM über Mutters Abstammung
Mother came from the lineage of the fallen archengel. To do this I had to go forward with absolute faith, absolute love and absolute obedience. Therefore, I came this far with that kind of belief and faith. Since she came from the fallen lineage, I had to go completely the oposite way of the universe. I had to deny everything.
October 1, 2003; New York, NY
Hoon Dok Hea
The New Yorker Grand Ballroom

SMM sagte: Im Buch, God's Will and the World, Seite 45 „Change of Lineage: The Real Experience of Salvation by the Messiah"

The story of Tamar
If you can understand about Tamar, you can understand the whole principle. Whom did Tamar have a relationship with? Her Father- in- law. How could a baby born out of such a relationship inherit the blood lineage of Israel?
Gen. 38, 27-30

A person in the position of the archengel's wife has to be restored to the position of Eve. Der ganze Abschnitt über Tamar zu lesen in God's Will and the world Seite 44-45
SMM hat uns erklärt, wie wir auf der Basis Wahrer Liebe, die Beziehungen zwischen

Mann und Frau, Eltern-Kinder, Kinder-Eltern, und besonders zwischen Gott und Mensch korrigieren und wiederherstellen können. SMM hat uns den Sachverhalt des Sündenfalls, und die Folgen anschaulich übermittelt. SMM hat uns den Weg der Geschichte aus der Sicht der Wiederherstellung durch Wiedergutmachung, durch Überwindung der gefallenen Natur aufgezeigt. Jesus sagte auch: Ich bin der Weg, die Wahrheit und das Leben.
SMM hat uns das Buch mit den sieben Siegeln geöffnet. Offb. 5:1 Es ist die Verantwortung des Menschen, dem Wort Gottes, welches der Messias uns übermittelt zu glauben, und danach zu leben. SMM brachte uns das Wort Gottes in verständlicher Form, das sowohl für den einfachen Menschen, als auch für die geistliche und weltliche Elite nachvollziehbar ist. Somit ist es durch SMM jeden Menschen möglich, die Beziehung zwischen Gott und Mensch, Gott als unseren ewigen himmlischen Vater und uns Menschen als seine Kinder wiederherzustellen, und zur Vollendung zu bringen. *Matth. 5:48* ***Seid also vollkommen, wie euer Vater im Himmel vollkommen ist.***

Hak Ja Han hat ihren Mann, der auch ihr Messias, ihr Wahrer ÖLbaum ist, verlassen, seinem Wort nicht geglaubt, und ihren Mann, den Messias, alleine im Regen stehen lassen.

Damit hat sie sich disqualifiziert, ihre Position an der Seite des Messias, des Wahren Vaters und König aller Könige zu vollenden.

Da Hak Ja Han in der Schlussphase zur vollkommenen Einheit mit ihrem Mann, SMM, den Messias nicht folgte, sondern ihre eigenen Wege ging, und durch Satans Handlanger, (führende Leiterschaft in Korea) gefallen war, und nicht gehorchte, fiel sie wieder unter Satans Herrschaft. Darüber hinaus riss sie das Zepter am Foundation Day unrechtmäßig in ihre Hand, und verdrängte den eigentlichen Nachfolger Repräsentant und Erbe der weltweiten Bewegung Hyung Jin Moon aus seiner Position, in Folge dessen dieser schließlich in der Wildniss von Pennsylvania Unterschlupf fand. Kook Jin Nim sein älterer Bruder, von SMM eingesetzter Unterstützer, begab sich ebenfalls auf den Weg nach Pensylvania. Kook Jin Nim wurde in der Folge auch als Präsident der koreanischen Tongil Gruppe widerrechtlich abgesetzt.
Tim Elder wurde ebenfalls von Hak Ja Han vor die Wahl gestellt:
Wem willst du folgen: HJN oder mir (Hak Ja Han) Er folgte HJN und ging in der Folge nach PA. Das verschwinden von Hyung Jin Nim als Weltpräsident wurde von mir, si-

cher auch vielen anderen Mitgliedern mit Verwunderung wahrgenommen. Aber durch unsere absolute Treue und Gehorsam SMM dem Messias gegenüber, und natürlich auch seiner Frau Hak Ja Han als substantielle Wahre Eltern, hielt ich an der Treue (Hak Ja Han) gegenüber nach dem Foundation Day im Februar 2013 fest. Obwohl uns am Foundation Day von Ihr (Hak Ja Han) mitgeteilt wurde, dass wir von nun an nicht mehr zum himmlischen Vater beten sollen, sondern zu den himmlischen Eltern, was in mir einiges Unbehagen auslöste, da ich immer mit meinen himmlischen Vater persönlich sprach und betete; akzeptierte ich diese Anrede, um nicht ihr gegenüber (Hak Ja Han) in Untreue zu geraten. Nun bin ich mit Madeleine hier und höre diese Anschuldigungen gegenüber Hak Ja Han. Ich hatte drei Wochen Zeit diese schockierenden Nachrichten zu verdauen. Mit Entschlossenheit machte ich mich nach unserer Rückreise an die Arbeit weiteres Material aus den Büchern von SMM zu sammeln, und startete, die Geschwister und Mitglieder über das Gehörte in Wort und Schrift zu informieren. Es stellte sich nach und nach heraus, dass unter den Mitglieder nicht viel Interesse vorhanden war, diese Informationen genauer unter die Lupe zu nehmen. Es bildete sich jedoch bald eine kleine Gruppe von Geschwistern heraus, mit denen wir uns in unserem Wohnzimmer von Zeit zu Zeit trafen und über die Lage diskutierten.

In den Jahren nach dem Foundation Day hat Hak Ja Han mehr und mehr ihre Identität, ihre Gedanken und Vorhaben bei Veranstaltungen, Leitertreffen, ect. zum Ausdruck gebracht.

Wie schon erwähnt veränderte Hak Ja Han die Schriften von SMM dem Messias, besonders die Bände der Nummer 594 und aufwärts, das Cheon Seong Gyeong und viele ander Schriften.

Weiters sagte Hak Ja Han, am 24. Oktober 2016
All of Christian History was for the foundation of the only Begotten Daughter. The way of Christianity was to make a foundation of the only Begotten Daughter. God's providence was to find the only Begotten Daughter.

Weiters sagte Hak Ja Han am 1. Juli 2014
The process of changing the lineage occured while I was in my mother's womb. This is something you have to believe.
Hak Ja Han sagte am 24. Oktober 2016

400-800 BC in Korea there was a kingdom, and that kingdom was the kingdom of the Han tribe. That Han spread throughout all of Korea and Japan. In concluding, the Korean peninsula was to await the birth of the Lord of the Second Advent, the only Begotten Daughter.

In der Bibel lesen wir in der Offb. Kapitel 5, 1-14 ***das versiegelte Buch und das Lamm, welches das versiegelte Buch öffnet.*** Das Lamm ist auch Symbol für den Messias
In der Offenbarung lesen wir auch von der Hochzeit des Lammes. SMM als dritter Adam, Herr der Wiederkunft, Messias und König aller Könige konnte das Buch mit den sieben Siegeln öffnen. Das göttliche Prinzip, seine Ansprachen und Predigten, alles zusammengefasst in beinahe 1000 Bänden, sind der Inhalt des Buches mit den sieben Siegeln.

SMM hat diese Schriften in 8 Textbüchern für die gesamte Menschheit zusammengefasst. Niemand außer ihm hat die Autorität an diesen Schriften etwas zu ändern.
Im letzten Kapitel der Offenbarung, 22:18-20 steht geschrieben.

Ich bezeuge jedem, der die prophetischen Worte dieses Buches hört: Wer etwas hinzufügt, dem wird Gott die Plagen zufügen, von denen in diesem Buch geschrieben steht. Und wer etwas wegnimmt von den prophetischen Worten dieses Buches, dem wird Gott seinen Anteil am Baum des Lebens und an der heiligen Stadt wegnehmen, von denen in diesem Buch geschrieben steht. Er der dies bezeugt, spricht: Ja, ich komme bald.

Hak Ja Han hat die Schriften des Wahren Vaters, Wahre Eltern, Herr der Wiederkunft, Messias und König aller Könige ***Sun Myung Moon*** verändert, Teile gestrichen, eigene Worte hinzugefügt, und überhaupt neue Bücher daraus gemacht. Hak Ja Han wird Rechenschaft ablegen müssen vor Gott und der Welt, da sie durch ihr Handeln große Verwirrung nicht nur innerhalb der VK, sondern auch auf weltweiter Ebene ausgelöst hat.

Fotos von unseren Besuchen in Pennsylvania.

BILL OF RIGH

Die schwerwiegende Konsequenz

Zum besseren Verständnis:

Der Messias kommt auf die Erde um die satanische Erbline, die alle Menschen durch den Sündenfall ererbt haben zu reinigen. Er hat sein Blut vergossen, um die Menschheit freizukaufen von der Last der Sünde. Dieses reine Blut ist das Opfer, welches der Messias hingibt, um die Menschheit wieder an die Blutslinie Gottes anzubinden. Satan hat kein Anrecht auf die wahre reine Blutslinie des Messias. Satan hat im Garten Eden den falschen Samen in den Schoß von Eva gesät. Der Messias sät den reinen himmlischen Samen in den Schoß der repräsentativen Eva. Sein Blut beinhaltet den reinen Samen des Messias. Die Holy Wine Zeremonie ist jene Zeremonie die uns, nachdem wir eine Herzensverbindung zu Gott, unserem himmlischen Vater, und zu unserem Erlöser, dem Messias aufgebaut haben, die Anpfropfung an die reine Blutslinie des Messias ermöglicht.
Bibel: Röm. 11:17 Jesus wollte dies tun, aber er hat keine Frau gefunden, mit der er eine Familie gründen, und die himmlische Blutslinie auf Erden setzten konnte.

Deshalb versprach er die Wiederkunft. Der Herr der Wiederkunft und Messias SMM hat unter schwierigsten Umständen eine Frau zu finden, die ihm Söhne und Töchter schenken würde, und mit absoluten Gehorsam an seiner Seite bleibt. Im Jahr 1944 heiratete SMM Frau Seon Gil Choi, sie gebar ihm einen Sohn. Kurz darauf wurde SMM von Gott berufen, nach Pyongyang in Nordkorea zu gehen. Diese Stadt wurde damals auch das Jerusalem des Ostens genannt. Er musste seine Frau und seinen wenige Monate alten Sohn in Seoul zurücklassen. Nach seiner Rückkehr aus dem Gefängnis in Hungnam, im heutigen Nordkorea, begann er von neuem in Busan, an der Südspitze Koreas zu predigen. Seine Frau verließ ihn aber im Jahr 1956. Eine zweite Frau wurde ihm anvertraut ,aber sie verließ ihn wieder. Im Jahr 1960 wurde SMM mit Frau Hak Ja Han gesegnet. Sie blieb an seiner Seite, indem sie alle Schwierigkeiten auf sich nahm, und seinen Anweisungen folgte. Doch Hak Ja Han entfernte sich in der Zielgeraden zum himmlischen Sieg, indem sie den Fall Evas im Garten Eden wiederholte, und Satan eindringen ließ. Durch die Hoy Wine Zeremonie am Foundation Day im Februar 2013, hat sie mit der Hanlinie, die eine gefallene Linie ist, alle Mitglieder die an der Zeremonie teilnahmen, mitgerissen, und unter die Herrschaft Satans gebracht, ohne dass wir dies auch nur im entferntesten erahnen konnten. Auch ich habe daran teilgenommen, aber mit gedämpfter Stimmung, wie schon erwähnt diesen Tag, den Foundation Day gefeiert. Dies war ein riesiger Sieg Satans, weil dadurch das gesamte weltweite Fundament, welches SMM der Messias unter Blut, Schweiß und Tränen aufgebaut hat, verloren ging. Der rechtmäßige Erbe Hyung Jin Moon und seine Frau Yeon Ah Nim wurden unrechtmäßig ihres Amtes enthoben, und in die Wildnis geschickt. Ende 2014 und Anfang 2015 brach HJN sein Schweigen, und begann zu wenigen Mitgliedern, die sich inzwischen um ihn versammelt hatten, über die Ereignisse vor und nach dem Foundation Day zu sprechen. Hyung Jin Nim ist sich seiner Verantwortung als Nachfolger und Erbe seines Vaters SMM dem Messias und König aller Könige, als Träger der messianischen Blutslinie bewußt, und beginnt aus dem Nichts sein geistliches Amt in der neu gegründeten Sanctuary Church, in Newfoundland in Pennsylvania, USA. Da die gesamte Vereinigungskirche durch die Han-Linie wieder unter Satans Herrschaft geraten ist, ohne dass die Mitglieder diese Katastrophe wahrgenommen hatten, startete HJN für die Mitglieder eine Heilige Wein Zeremonie, und Segnungszeremonie, damit diese wieder an die Autorität des Wahren Vaters, des Messias und König aller Könige angeschlossen werden können. Sowohl die erste Generation, die angepfropfte an den Messias und König aller Könige, als auch die zweite Generation, das sind die Kinder, die aus den Familien der ersten Generation geboren wurden, können, falls ihre Zweiglein nicht durch die Wüstenstürme verwelkt, oder weggeblasen wurden, durch die Zeremonie wieder unter die Autorität des Wahren Vaters SMM gelangen. Dasselbe gilt auch für die Kinder der dritten Generation. Dies ist uns aus der Gnade Gottes gewährt, da wir unschuldig durch die Irreführung von Hak Ja Han unter Satans Herrschaft geraten sind.

Zugleich wurde in der Folge für die gesamte Menschheit wieder der Weg geöffnet, durch die Holy Wein Zeremonie und die Segnung durch HJN als Erbe, und Repräsentant des Wahren Vaters, den Anschluss an die himmlische Blutslinie zu erlangen.

Diese himmlische messianische reine Blutslinie wird so von einer Generation zur anderen vererbt, in der Satan kein Anrecht hat einzudringen, solang die gesegneten Paare ihre Sexualorgane absolut rein halten und ihrem Ehepartner absolut treu bleiben. Dies nennen wir auch absoluten Sex, wodurch die größte Freude und Freiheit des Menschen in der Partnerschaft hervorsprießen kann. Die Last der Geschichte und unserer Vorfahren, wo viele Greueltaten passiert sind, die auf Grund von Unwissenheit über das Herz und dem Willen Gottes verübt wurden, lastet dennoch auf unseren Schultern. Viele ungelöste Probleme in den zwischenmenschlichen Beziehungen, besonders zwischen

Mann und Frau, warten darauf durch Opferbereitschaft, Reue und Vergebung gelöst zu werden. Dies ist die Aufgabe jedes einzelnen, jeder Familie, jeder Gesellschaft, den Nationen untereinander und der ganzen Welt. Auf der Basis des Verständnisses über Gottes Schöpfungswerk, dem Sündenfall und der leidvollen Geschichte, können wir besser ans Werk gehen, friedliche Familien, eine friedliche Umgebung, und eine friedliche Welt zu schaffen.

SMM, Herr der Wiederkunft, Messias, und König aller Könige ist gekommen, um die unvollendete Mission Jesu zu vollenden

Joh. 15:5 ***Ich bin der Weinstock, ihr seid die Reben, wer in mir bleibt und in wem ich bleibe, der bringt reiche Frucht; denn getrennt von mir könnt ihr nichts vollbringen.***
Röm. 11:17 Wilder Ölbaum. Christus Wahrer Ölbaum Pfropfung
1.Kor. 15:45 Paulus nannte Jesus den letzten Adam.
Joh. 16:12-13 noch vieles hab ich euch zu sagen, aber ihr könnt es jetzt noch nicht tragen. Wenn aber jener kommt, der Geist der Wahrheit, wird er euch in die ganze Wahrheit führen.
Joh, 3:12 ***Wenn ich zu euch über irdische Dinge gesprochen habe und ihr nicht glaubt, wie werdet ihr glauben, wenn ich zu euch über himmlische Dinge spreche?***
Joh. 16:25 ***Dies habe ich in Bildern zu euch gesprochen, es kommt aber der Tag, wo ich direkt vom Vater verkünden werde.***
Offb. 5, 1-14 ***Buch mit den sieben Siegeln***
Matth. 20:27-28 ***und wer unter euch der erste sein will, soll euer Knecht sein.***

Auch wenn die Familienföderation unter Hak Ja Han weiter große Segnungen durchführt, sind diese für die teilnehmenden Paare bedeutungslos, da sie von der satanischen Blutslinie, die die ganze Welt umspannt nicht befreit werden können. Auch die vielen Paare der 2.Generation, die an ihrer Segnung, und an der Heiligen Wein Zeremonie teilgenommen haben, sind wieder unter Satans Herrschaft gelangt, da die Hanlinie eine gefallene Linie ist. Eine kosmische Katastrophe die niemand auch nicht im entferntesten erahnt hatte.

Aber wie schon gesagt, hat HJN durch seinen Aufstieg aus der Asche seine Verantwortung und Autorität, die von seinem Vater SMM dem Messias und König aller Könige auf ihn übertragen wurde, wahrgenommen, und sein geistliches Amt in der Wildnis von PA fortgesetzt. Dadurch wurde die Rückkehr aller Mitglieder, 1. Generation, 2. Generation, 3. Generation . durch die Heilige Wein Zeremonie und die Segnung, welche aus der Gnade Gottes entspringt, ermöglicht. ***Zugleich ist wieder die Heilige Wein Zeremonie und Segnung für die gesamte Weltbevölkerung ermöglicht.***
Hak Ja Han hat keinen wahren Weinstock, der den Messias darstellt, sie hat ihren Mann und Messias verlassen und alleine im Regen stehen lassen.

Sie ist ohne Wurzel, ohne Stamm, sie kann nichts weitergeben. Aus dem Samen sprießt die Wurzel. Hak Ja Han und die Han Linie hat keinen Mann an ihrer Seite und deshalb auch keinen Samen mehr, sie wird absterben. Sie hat ihren Mann SMM dem Messias mit der reinen Blutslinie hinausgeworfen, und den falschen Vater Luzifer, welcher der Satan und der Teufel ist, der Eva im Garten Eden verführt hat, angenommen. Dies geschah während einer geheimnisvollen Zeremonie im Jänner 2012 im Königspalast von Cheongpyeong in Korea, ohne ihrem Mann SMM davon etwas zu sagen. Als SMM davon hörte, kehrte er sofort aus der Stadt Busan zurück, und berief am Morgen des 19. Jänner 2012 ein HDH Reading in Cheongpyeong ein. Da an diesem Reading keine Videoaufnahmen gemacht werden durften, gibt es nur handschriftliche Aufzeichnungen von einem Zuhörer, die von weiteren TeilnehmerInnen bestätigt wurden. Hier einige Zitate von SMM nach der Lesung:

Below are unofficial published notes by a Hoon Dok Hae session participant, a South Kerean eyewitnes and note taker who recorded the contents of the words of Rev, Sun Myung Moon as follows, from Hoon Dok Hea led by Rev. Moon on January 19, 2012, at Cheon Jeong Gung Palace, South Korea.
As usual this day also after the HDH reading, True Father spoke. But what was unusual was that his talk was about True Mother. His words were frank and painful, filled with fire and regrets. Those present were embarrassed. Here were some of his points.

True Parents of Heaven, Earth and Humankind is not two as Father and Mother, but one. Mother is Father`s platform. Just eating with and following Father around does not automatically makes her True Mother. Acting separately will cause doom and death. Those who do not respond to Father and just hang around Mother are Villains.

Anyone who follows Mother and thinks he doesn`t need Father is a rootless Dokkaebi. Mother is going her on way like a demon (dokkaebi). She is not walking the same road as Father.
Do not brag about Anju (Mother`s hometown) and the family name Han. If you do that you don`t become True Mother.
For Mother to say, „Don`t listen to Father, listen to me" is more frightening than Luzifer.

I am all allone now. I don`t have any sons or daughters. Mother plays her own game. When Hyo Jin was alive he sad to me, Father, I feel sorry for you. Why is Mother not listening to you, and doing her own thing? True Father proclaimed: „From this time on Mother has to absolutely obey Father." Then Father asked Mother who was sitting next to him to stand up and go in front of the table and face Father. Then True Father called four leaders by name (Jun Ho Seuk, Sun jo Hwang, Jeong Lo Yoon, Hyol Yu Kim (Peter Kim) to the front and make a line behind True Mother and made all raise hands including all Hoon Dok Hae participants to pledge absolute obedience. True Father repeatedly urged True Mother to answer, (yes). He than asked everyone to raise their hands and clap to confirm they knew Father`s will and seal this special ceremony.

Deutsche Übersetzung
Unten sind inoffiziell veröffentlichte Notizen von einem Hoon Dok Hae Sitzung Teilnehmer; ein südkoreanischer Augenzeuge und Notizenschreiber, der den Inhalt der Worte von SMM wie folgt aufzeichnete. Der Wahre Vater sprach wie gewöhnlich, so auch an diesem Tag nach der HDH Lesung.
Aber das ungewöhnliche war, dass er über die Wahre Mutter sprach. Seine Worte waren offen und schmerzhaft, voller Feuer und bedauern. Die Anwesenden waren beschämt. Hier einige seiner Punkte:

Die Wahren Eltern von Himmel, Erde und Menschheit sind nicht zwei wie Vater und Mutter aber eins.
Mutter ist Vater`s Plattform, nur mit ihm zu essen und ihm zu folgen, macht sie nicht automatisch eine Wahre Mutter.
Eigenständige Aktionen verursachen Verderben und Tod.
Jene, die nicht Vater`s Anweisungen befolgen und nur um Mutter herumsitzen, sind Schurken.

Jeder der Mutter folgt und denkt, er braucht Vater nicht, ist ein wurzelloser Demon. Mutter geht ihren eigenen Weg wie ein Demon. Sie geht nicht den selben Weg wie Vater.

Prahle nicht über Anju (Mutters Heimat) und den Familiennahme Han. Wenn du das machst wirst du nicht Wahre Mutter.
Wenn Mutter sagt, „hört nicht auf Vater, hört auf mich" das ist mehr furchterregend als Luzifer.

Ich bin nun ganz alleine. Ich habe keine Söhne oder Töchter. Mutter spielt ihr eigenes Spiel. Als Hyo Jin noch am Leben war, sagte er zu mir: Vater, es tut mir leid für dich, warum hört Mutter nicht auf dich und macht ihre eigenen Sachen?
Der Wahre Vater proklamiert: Von nun an hat Mutter den Wahren Vater absolut zu gehorchen. Dann fragte Vater, Mutter, die neben ihm sitzt, aufzustehen, und mit dem Gesicht zu ihm gerichtet vor dem Tisch zu stehen. Dann rief Vater vier Leiter beim Namen:
Jun Ho Seuk, Sun jo Hwang, Jeong Lo Yoon, Hyol Yu Kim (Peter Kim) vor dem Tisch, um eine Linie hinter der Wahren Mutter zu machen. Alle sollen ihre Hände heben, inklusive sämtliche HDH Teilnehmer, und absoluten Gehorsam zu geloben.
Der Wahre Vater drängte wiederholte Male die Wahre Mutter, mit „JA" zu antworten. Dann bat er jeden einzelnen, ihre Hände zu heben und klatschen, um zu bestätigen, dass sie Vater`s Willen kennen, und siegeln diese spezielle Zeremonie.

Aus diesen Zitaten geht sehr deutlich hervor, dass Hak Ja Han ihren Mann SMM nicht mehr folgte, sondern ihre eigenen Wege ging. Sie hat auch, als Vater schon im Krankenhaus war zu HJN gesagt ich bin Hananim" auf deutsch „ich bin Gott". Hier einige Aussagen von Hak Ja Han der vergangenen Jahre:

I am the only Begotten Daughter of God
The process of changing the lineage occurred while I was in my mother's womb.
This is something you have to believe.
Hak Ja Han, July 1, 2014
I am the True Parents, the only begotten daughter, the True Mother.
I am the Mother of the universe.
Hak Ja Han, August 30, 2018

Am 25. Juli 2019 sprach Haj Ja Han in Busan, Südkorea zu Mitgliedern auch folgendes. Though I was young, I felt it was not right to make Heaven wait for much longer. I decided to take action, thinking, „I am the only one who can do it." No person needed to educate me in that. The Bible says that Adam and Eve were able to speak with God, one on one. I did so too. No person taught me the Principle or educated me in any way. Even Father did not. I made those decisions.

Deutsche Übersetzung.
Obwohl ich jung war, fühlte ich, dass es nicht richtig wäre, den Himmel noch länger warten zu lassen. Ich entschied mich zu handeln, nachdenklich, „ich bin die einzige die das machen kann". Keine Person brauchte mich dafür zu erziehen. Die Bible sagt, dass Adam und Eva fähig waren, mit Gott zu sprechen, eins zu eins. Ich machte es auch so. Keine Person lehrte mich die Prinzipien, oder erzog mich in irgend einer Weise. Selbst Vater tat es nicht. Ich habe diese Entscheidungen getroffen.
Diese Worte stehen im völligen Widerspruch zu den Worten von SMM.

Die Leiterschaft der zukünftigen Generationen in der Familienföderation wird nur durch das Gesetz bestimmt, und nicht durch die Blutslinie. Sie bleiben unter der Herrschaft des Herrn und Fürsten dieser Welt hängen, den wir Satan nennen.
Joh. 12:31 2. Kor. 4:4 Joh. 8:44
Jedes geschaffene Wesen ist ein sichtbarer Ausdruck des unsichtbaren Wesens Gottes, des Schöpfers und Urhebers des gesamten Universums. Der Mensch wurde geboren als Sohn oder Tochter Gottes, unseres himmlischen Vaters. Adam und Eva sind unsere ersten Vorfahren und Repräsentanten. Sie sind geboren als Prinz und Prinzessin aus der reinen Blutslinie Gottes, der uns aus Erde geformt hat. Gott wollte sie verheiraten und in der Ehe segnen, nachdem sie durch die drei Stufen des Wachstums auf physischer und geistiger Ebene mit dem Herzen Gottes eins geworden wären. Dadurch wären sie König und Königin geworden, sie wären zu den Wahren Eltern der gesamten Menschheit geworden, und hätten Kinder des Guten, der reinen Blutslinie Gottes hervorgebracht. Das Himmelreich hätte hier seinen Anfang genommen, und sich ausgebreitet auf Stämme, Nationen und die Welt. Durch den Fall hat Satan dies alles zunichte gemacht, und die Herrschaft der Wahren Liebe auf den Kopf gestellt. Er hat das reine Herz Adams und Evas beschmutzt, und durch den sexuellen Akt die reine Blutslinie Gottes verunreinigt, und sich zum Herrscher der falschen Blutslinie erhoben. Adam und Eva wurden zu falschen gefallenen Eltern, und konnten nicht mehr im paradiesischen

Zustand der Gottesnähe verweilen. Mit der Ehesegnung von Adam und Eva wäre das Himmelreich der Wahren Liebe zwischen Gott und Mensch, und zwischen Mann und Frau eröffnet worden. Stattdessen entstand schon in der Familie Adams die Hölle auf Erden, wo Kain seinen jüngeren Bruder Abel auf dem Feld erschlug. Die Menschheit schlug einen falschen Weg ein, der entgegengesetzt dem ursprünglichen Plan und Willen Gottes verlief. Der Mensch, beginnend von Adam und Eva geriet in einen Zwiespalt in seinem Herzen, da er einerseits den Wunsch in sich trägt, das Gute zu tun, anderseits von Handlungen getrieben wird, die das Gegenteil bewirken. So entstand ein Kampf in jedem einzelnen Menschen, der bis Heute andauert, und in der ersten Familie, in Adams Familie seine Wurzel hat. Der Mensch verfiel durch den Fall in eine sexuelle Unmoral, die in der Geschichte den Untergang von Menschen, Gesellschaften und Nationen verursachte. Gott hatte keine Wahl, und konnte nur im verborgenen durch die Blutslinie des dritten Sohnes Adams mit dem Namen Seth arbeiten. Aus dieser Linie wurde nach langer Zeit Noah geboren.

Was ist Gottes Ziel in der Geschichte?

Nachdem Adam durch den Fall unter Satans Herrschaft geriet, begann Gott daran zu arbeiten, die beschmutzte gefallene Natur des Menschen zu bereinigen. Um dies zu ermöglichen, muss die beschmutzte satanische Blutslinie gereinigt werden. Dies ist der Prozess der Wiederherstellung durch Wiedergutmachung im Verlauf der Geschichte. Als Ergebnis dieses schwierigen Weges, kann Gott einen Menschen finden, der als Messias der Erlöser und Gesalbte geboren werden kann.

Matth. 3: 17 ***Und eine Stimme aus dem Himmel sprach: Das ist mein geliebter Sohn, an dem ich gefallen gefunden habe.***

Schon zu seiner Geburt wurde den Waisen aus dem Morgenland verkündet, ein König ist geboren. Auch Herodes erschrak, als er hörte, dass aus dem israelitischen Volk ein König geboren wird.

Was wollte Jesus tun: Ein Königreich errichten. Als König braucht er auch eine Frau an seiner Seite, die er aus der gefallenen Welt, unter Gottes Führung erwählen kann, in

die er seine gereinigte Blutslinie, seinen Samen pflanzen konnte, um Kinder hervorzubringen.
Dies wird in der Bibel als Akt der Pfropfung beschrieben. *Röm. 11:17* Ein König braucht auch ein Volk. Das jüdische Volk, die Israeliten wären sein Volk geworden. Auch ein Territorium, jenes der Israeliten wäre vorhanden gewesen. Somit wären die wichtigsten Voraussetzungen vorhanden gewesen, um das Königreich Gottes, das Himmelreich auf Erden durch Jesus und seine Braut zu errichten. Jesus konnte keine Braut finden. Nach jüdischer Tradition war es zur damaligen Zeit die Aufgabe der Eltern, im besonderen der Mutter, für die Vermählung der Kinder zu sorgen. Jesus fand keine Unterstützung von seiner Familie, auf der Suche nach einer Braut. Er fand auch keine Unterstützung von den Hohepriestern, Schriftgelehrten und Pharisäern. Die gesamte Führungsschicht Israels lehnte sich gegen ihn auf. Lediglich Menschen aus dem einfachen Volk folgten seinem Ruf, und wurden zu seinen Aposteln. Als die Situation immer kritischer wurde, hat sogar einer aus seinen eigenen Reihen,(Judas Iskariot) ihn verraten. Seine Gefangennahme, seine Verurteilung, führte schließlich zum Tod am Kreuze. Das war ein kollektiver Mord, angestachelt von seinem eigenen Volk, das seinen Messias, Erlöser und König aller Könige ans Kreuz schlagen ließ. Als Folge wurde Israel zerstört, der Tempel niedergerissen, und das Volk in alle Winde verstreut.
Luk. 23:28 ***Jesus wandte sich zu ihnen um und sagte: Ihr Frauen von Jerusalem, weint nicht über mich; weint über euch und eure Kinder.***
Mark.13, 1-2 ***Als Jesus den Tempel verließ, sagte einer von seinen Jüngern zu ihm: Meister sieh was für Steine und was für Bauten! Jesus sagte zu ihm: Siehst du diese großen Bauten? Kein Stein wird auf dem anderen bleiben, alles wird niedergerissen.***
Luk. 19:44 ***Sie werden dich und deine Kinder zerschmettern und keinen Stein auf den anderen lassen; denn du hast deine Zeit der Gnade nicht erkannt.***
1. Kor. 2:8 ***Keiner der Machthaber dieser Welt hat sie erkannt; denn hätten sie die Weisheit Gottes erkannt, so hätten sie den Herrn der Herrlichkeit nicht gekreuzigt.***
Joh. 6:29 ***Das ist das Werk Gottes, dass ihr an den glaubt, den er gesandt hat.***

Seit jenen Tagen erleidet das jüdische auserwählte Volk Unterdrückung und Verfolgung, die im Holocaust während des zweiten Weltkrieges ihren Höhepunkt erreichte. Daraus lässt sich leicht erkennen, dass der Schutz und Segen Gottes nach dem Tod Jesus von diesem Volk gewichen ist. Denn, durch die Ermordung Jesu, hat das jüdische Volk den Willen Gottes zur damaligen Zeit der Heimsuchung zerstört. Deshalb hat Jesus in der letzten Phase seines Wirkens nicht mehr vom Himmelreich gesprochen, sondern von

seinem Leiden und der Auferstehung. Über die Auferstehung: *1. Kor. 15, 35-58*
Schließlich sprach Jesus von der Not in der Endzeit, und über das Kommen des Menschensohnes, vom Kommen des Herrn der Wiederkunft. *2. Tim. 3, 1-9*
Wie wir bereits wissen, hat die Geburt des Herrn der Wiederkunft im Jahr 1920 in Korea stattgefunden. Er hat sich wieder auf die Suche nach den Geheimnissen des Universums und dem Leiden der Menschheit begeben. Er folgte dem Ruf Gottes, der ihm durch Jesus im Alter von 15 Jahren übermittelt wurde. Hatte unzählige Kämpfe mit den Mächten des Bösen zu überwinden, und kam Schritt für Schritt den Geheimnissen des Universums und der Geschichte der Menschheit auf die Spur. Sein Leben, seine Werke sind uns in schriftlicher Form in Audio und Video festgehalten, und stehen der Menschheit heute und in aller Zukunft zur Verfügung.

Wir haben schon einige kurze Ausschnitte seiner Werke gelesen, die durch seine völlige Hingabe, den Willen Gottes zu erfüllen, entstanden sind.

Fassen wir nochmals kurz zusammen, wie es ihm ergangen ist, und wie er den Willen Gottes erfüllen konnte.

Der Wille Gottes ist seit Beginn der Schöpfung, unveränderlich, ewig und absolut.

In Adams Familie konnte der Wille Gottes, das Ideal der wahren Liebe in der Familie nicht verwirklicht werden. Adam und Eva folgten nicht dem Willen Gottes, sondern dem Willen Satans und fielen. *Joh. 8:44*
Jesus kam in der Position des zweiten Adam, und wollte das Ideal der wahren Liebe in der Familie verwirklichen. Da er keine Familie errichten konnte, in der er seine reine Blutslinie, seinen reinen himmlischen Samen verpflanzen konnte, blieb der Wille Gottes zur Zeit Jesu unerfüllt. Jesus konnte durch sein Opfer, und seine Auferstehung, das Paradies in der geistigen Welt eröffnen. Aber auf der Erde, der physischen Welt hat keine Erlösung stattgefunden. Konflikte und Kriege wurden vielfach in den vergangenen 2000 Jahren gefochten, und millionenfach Blut vergossen. Deshalb versprach er die Wiederkunft.

Der Herr der Wiederkunft kommt in der Position des dritten Adam, um den Willen Gottes vollständig zu erfüllen. Er fand schließlich unter schwierigsten Umständen seine Braut Hak Ja Han und errichtete eine Familie mit 14 Kindern. Durch seine eigene Seg-

nung und der Segnung der vielen Mitgliedern, die sich im Laufe der Jahre um ihn gesammelt haben, konnte er seine Position als Wahre Eltern erfüllen, und die gesegneten Paare durch die Holy Wine Zeremonie an seinen Wahren Lebensbaum einpfropfen.
Röm. 11:16 ***Ist die Erstlingsgabe vom Teig heilig, so ist es auch der ganze Teig; ist die Wurzel heilig, so sind es auch die Zweige. Wenn aber einige Zweige herausgebrochen wurden und wenn du als Zweig vom wilden Ölbaum in den edlen Ölbaum eingepfropft wurdest und damit Anteil erhieltest an der Kraft seiner Wurzel, so erhebe dich nicht über die anderen Zweige. ...***

CSG 1211 Ihr solltet eine neue Erblinie erben! Um das zu tun, muss der Messias als Vater kommen. ... dann sollte er die Ehe vollziehen, eine Familie schaffen, Söhnen und Töchtern das Leben schenken, und den Prozess des Propfens auf der horizontalen Ebene beginnen.

CSG 1216-17 ***Diese Zeremonie ist wie eine Injektion, durch die eine tote Person wiedererweckt wird. Es ist eine Injektion zur Entgiftung.***

CSG 1298 ***Die Segnung ist ein ewiger Schatz. Sie ist das Versprechen, eine Erblinie zu beginnen, die sich über zehntausend Generationen erstrecken wird. Darum wird es, wenn ihr die Segnung verunreinigt, Auswirkungen auf euren gesamten Klan haben, genau wie die Kreuzigung Jesu Auswirkungen auf die ganze Nation Israel hatte.***

Sowie Jesus auch Verräter unter seinen Reihen duldete (Judas Ishkariot), so hatte auch SMM Verräter, Schwindler und Gauner in seinem eigenen Kreis der kirchlichen Leiter.

God's Will and the World 362 ***Our enemies will not only create national and worldwide protest against me, but will use dirty tactics to undermine us. For example,communists will infiltrate our ranks and behave like dedicated members. Once they are trusted they will begin to make all kinds of trouble, and ultimately their actions will reflect back on me. That is their goal, and I am clearly aware of this tactic. How pitiful my situation is. Already I am receiving all kinds of accusation and persecution from outside, but even worse, there are people who are calculating how to shame me from within the Unification Church. There is no place where I can escape the heated battle.***
Diese haben im Laufe der Jahrzehnte mit Hak Ja Han sympathisiert, indem sie Hak Ja Han's aufkommenden Groll unterstützten, und schließlich nach dem Hinübergehen von

SMM in die geistige Welt ein Komplott mit Hak Ja Han im Zentrum gebildet. Das überraschende Hinübergehen von SMM dem Messias in die geistige Welt, der Hinauswurf von Hyung Jin Nim und Yeon Ah Nim von der Position als rechtmäßiger Nachfolger und Erbe von SMM, dem Messias und König aller Könige, und in Folge auch das Absetzen von Kook Jin Nim als Präsident der koreanischen Unternehmungen gleicht einem Staatsstreich auf höchster Ebene.

Original Band 607, Seite 310 **How many years and months are left (until Ki Won Jeol)? If Mother does not reach the level of responsibility she must take until that time, a problem will happen.That is why I have taken and fulfilled all responsibilities myself. Since I have done this for her, as long as she does not vent her anger or throw a punch, everything will be alright.**

An Hand dieser Worte, die aus diesem Band entfernt wurden geht klar hervor, dass SMM trotz ihres Ärgers, solange sie an seiner Seite bleibt, und zu ihm steht, SMM, ihr, Hak Ja Han vergibt und alles in Ordnung ist. Diese Haltung behielt SMM bis zu seinem letzten Atemzug, obwohl er schon wußte, dass sie ihn verlassen hat, und ihre eigenen Wege ging. In seinem letzten Gebet hat er dennoch ausgedrückt, alles, nämlich den Willen Gottes erfüllt zu haben. SMM war als Messias, Wahre Eltern, und König aller Könige der Träger der reinen von Gott geschaffenen Blutslinie, dessen Same im Schoß seiner Frau Hak Ja Han Kindern mit der neuen Blutslinie das Leben schenkte. Sein treuer und rein gebliebener Sohn Hyung Jin Nim wurde sein Erbe, und Hyung Jin Nim's älterer Bruder Kook Ji Nim wurde von SMM zum Unterstützer von Hyung Jin Nim gewählt.

Die zukünftige Königschaft

Die Zusammenarbeit dieser beiden Brüder markiert auch das Ende des historischen Konflikts zwischen den Brüdern Kain und Abel, der im Garten Eden seinen Anfang nahm, und sich im Laufe der Geschichte bis zur weltweiten Ebene ausdehnte. Trotz der fürchterlichen Niederlage Gottes am Foundation Day, wo Satan durch das Fehlverhalten von Hak Ja Han einen riesigen Sieg errungen hatte, hatte Hyung Jin Nim die reine Blutslinie am Leben erhalten, und aus dem Nichts in Pennsylvania sein geistliches Amt mit seiner Frau und der Unterstützung von Kook Jin Nim fortgesetzt. Auch der dritte Sohn von Hyung Jin Nim wurde von SMM noch zu seinen Lebzeiten als dritter Erbe und Nachfolger bestellt. Somit ist eine Dreikönigschaft errichtet, bestehend aus:
Dem 1. König Sun Myung Moon
Dem 2. König Hyung Jin Moon
Dem 3. zukünftigen König Shin Joon Moon
Diese stammen aus der direkten Blutslinie, die SMM als der wahre Sohn Gottes, Wahrer Vater, Messias, Herr der Wiederkunft und König aller Könige substantiell darstellt. Sämtliche männliche Nachkommen aus dem Stamme von SMM, dem Wahren Ölbaum, die nach dem dritten König Shin Joon Moon, als nächster König vom jeweilig regierenden König gewählt werden, geben die Wahre königliche Blutslinie Gottes an die nächste Generation weiter. Das himmlische Königreich Gottes hat so mit SMM seinen Grundstein gelegt, und wird sich über Tausend Generationen auf der Erde vermehren.
Die Zweige dieses Baumes des Lebens sind auch jene Menschen, die durch Pfropfung, der Heiligen Wein Zeremonie und Segnung mit diesem Baum verknüpft sind, und im Herzen mit ihm eins werden. Die Herzensbeziehung zwischen den gefallenen Menschen, dem Messias und Erlöser und Gott selber als unseren himmlischen Vater, ist die Nahrung um unseren gepfropften Zweig am Leben zu erhalten, zu wachsen und gute Früchte zu bringen. Ohne gute Nahrung und Fürsorge wird unser Zweiglein leicht verhungern und absterben, und in dieser Welt verloren gehen. Das Wort Gottes, von SMM übermittelt, ist unsere Nahrung, damit wir am Lebensbaum starke Wurzeln schlagen, und dem Sturm der Zeiten standhalten. Die Bibel spricht auch vom reinwaschen unserer Kleider, damit wir teilhaben dürfen am Baum des Lebens. Sowie unsere beschmutzte Blutslinie durch den Messias reingewaschen wird, so ist es auch unsere Aufgabe und Verantwortung, unseren beschmutzten Charakter, unser beschmutztes Herz, durch Überwinden unserer gefallenen Natur reinzuwaschen, um Teil des Baumes des Lebens zu werden. Im Buch: Blessing and Ideal Family, Band 1 Teil 2 auf Seite 12 spricht SMM

in einem kurzen Ausschnitt:
If the blessed couples of the Unification Church forget to clean up the puddle of resentment of husbands and wifes up till now, they will perish. No matter how much I say that they will not perish, they will perish.
Auf der gleichen Seite im nächsten Absatz steht geschrieben: ***Going the road of faith might seem easy, but it is actually harder than dying. Hence the road of faith is not a part-time occupation. The life of faith is not a part-time job.*** Diese Worte deuten darauf hin, wie schwierig es ist, ein Glaubensleben bis zum Lebensende aufrecht zu erhalten. Dazu gehört auch der Glaube zum Ehepartner.

Was wird Satan tun

SMM der Messias und König aller Könige, ist sein ganzes Leben, von seiner Jugendzeit angefangen bis zu seinem Hinübergehen in die geistige Welt, von dieser Welt des Bösen mit allen Mitteln angegriffen worden. Es wurde bis zu den höchsten Ebenen versucht SMM zu eliminieren. Satan wird auch weiter alles daran setzen, um die Königschaft der Erblinie Gottes anzugreifen und zu vernichten, damit er sein Reich des Bösen aufrecht erhalten kann. Dazu hat er seine Handlanger auf der Erde, die alles tun, um die Vertreter und Kämpfer für das Reich Gottes zu eliminieren. Sein erstes Ziel ist natürlich die Königschaft Gottes und seine Repräsentanten zu vernichten. Deshalb ist auch Hyung Jin Nim und seine Familie als das zweite Königspaar und Erbe von SMM, das weitere Angriffsziel satanischer Mächte.
Satan wird auch nach wie vor versuchen, uns in seiner Welt des Konflikts, der sexuellen Ausschweifungen, der Gier und Macht, zu verwickeln und in Schach zu halten. So manche dubiose Organisationen, die ihre Aktivitäten hinter dem Vorhang organisieren, halten die Welt in Atem durch Terror, sexuellen Missbrauch besonders an Kindern, und sehen in dieser keimenden Königschaft Gottes, die noch keine Nation besitzt, das Feindbild Nummer Eins. Wenn wir die Nationen der Welt betrachten, so können wir feststellen, dass alle Nationen ob groß oder klein, ein Verteidigungssystem besitzen, um sich vor eventuellen Angriffen von Außen zu schützen. Um so wichtiger ist es, dass sich ein winziger Spross, ein kleiner David in der Welt des Goliath vor Angriffen schützt. Das ist auch der wichtige Grund, warum Hyung Jin Nim the Rod of Iron Ministry ins Leben gerufen hat.

Das eiserne Zepter (engl. Rod of Iron)

Bibel: Offb. 12:5 ***Und sie gebar ein Kind, einen Sohn, der über alle Völker mit eisernem Zepter herrschen wird.***
Offb. 19:15 ***Aus seinem Mund Kam ein scharfes Schwert; mit ihm wird er die Völker schlagen. Und er herrscht über sie mit eisernem Zepter, und er tritt die Kelter des Weines, des rächenden Zornes Gottes, des Herrschers über die ganze Schöpfung.***

Das eiserne Zepter ist ein Herrscherstab mit seinen Reichsinsignien, z.B. bei den Habsburgern: Krone Zepter, Reichsapfel, Heilige Lanze, Schwert, Sporen...

SMM hat immer wieder betont, wie wichtig es ist eine Nation aufzubauen. Er hat vorsorglich schon in den Jahren zwischen 1960 und 1970 begonnen, Waffen zu bauen. SMM hatte durch seine weltweiten Organisationen und den Mitgliedern der VK ein Fundament aufgebaut, um eine Nation (Korea) mit dem himmlischen Standard der Wahren Liebe zu verbinden. Dazu wäre es auch notwendig, eine Verfassung zu schreiben, die dem himmlischen Standard der Wahren Liebe entspricht, die Freiheit, Souveränität und Verantwortung jedes einzelnen Bürgers sich selbst und seinen Mitmenschen gegenüber zum Ausdruck bringt. Neben einer Reihe von Artikeln, welche die Ordnung einer Nation aufrecht erhalten, seien drei wesentliche Punkte erwähnt.
In der Zeremonie zur Königschaft Gottes am 13. Jänner 2001, erklärte SMM folgende drei Artikel für eine zukünftige Verfassung als besonders wichtig.
Artikel 1: Die himmlische Blutslinie rein zu halten, nicht zu beschmutzen.
Artikel 2: Die Menschenrechte nicht zu verletzen.
Artikel 3: Kein öffentliches Geld zu stehlen, das heißt, kein öffentliches Vermögen, keinen öffentlichen Besitz für private Zwecke verwenden.
Diese für SMM in Sichtweite befindliche Nation, wurde durch den Staatsstreich um den Foundation Day im Februar 2013 herum, durch Hak Ja Han und ihren Verbündeten auf unbestimmte Zeit verschoben, nachdem SMM zuvor in die Geistige Welt hinübergegangen ist. Hyung Jin Nim hatte mehrmals seine Mutter Hak Ja Han davor gewarnt, die Schriften ihres Mannes SMM nicht zu verändern, nachdem sie Ambitionen äußerte dies zu tun. Sie hörte nicht auf ihren Sohn Hyung Jin Nim, und tat es. Hyung Jin Nim musste den Königspalast mit seiner Familie verlassen, nachdem seine Mutter Hak Ja Han nicht dem Willen Gottes gemäß handelte, den Anweisungen ihres Ehemannes SMM dem Wahren Vater und Messias nicht folgte, und sich nicht mit ihm vereinigte. SMM, der

Messias und König aller Könige, verlor seine anvertraute Frau, und stand zuletzt alleine da. Mit dieser Situation ging SMM auch hinüber in die geistige Welt.

Hyung Jin Nim landete schließlich in der Wildnis von Pennsylvania in den USA und begann nach langen Ringen über seine Situation, ohne Mittel, nur mit der Unterstützung seines älteren Bruders Kook Jin Nim, sein geistliches Amt als Nachfolger, Erbe und zweiter König, neu zu beginnen. Im Jahr 2015 schrieb Hyung Jin Nim mit Kook Jin Nim eine Verfassung für die zukünftigen ***Vereinigten Staaten von Cheon Il Guk (Himmelreich auf Erden).*** Grundlagen dafür waren die Worte von SMM sowie die Verfassung der USA.
Cheon Il Guk ist das koreanische Wort für Himmelreich, wovon auch Jesus am Anfang seines öffentlichen Wirkens gesprochen hat. *Matth. 4:17* ***Von da an begann Jesus zu verkünden: Kehrt um! Denn das Himmelreich ist nahe.***

Was passiert nun, wenn eine Person ihre Mission nicht erfüllt: Adam versagte, das Wort Gottes (das Gebot) einzuhalten, und errichtete deshalb eine falsche Welt.
Jesus kam als der zweite Adam, um diese falsche Welt wieder richtig zu stellen. (Erlösung) Da er zum Tode verurteilt, und am Kreuze starb, konnte er seine Mission nur teilweise erfüllen; (geistige Erlösung) er versprach die Wiederkunft! Der Herr der Wiederkunft kommt als dritter Adam, mit einem neuen Namen offb. 3,12 in der Person von ***"Sun Myung Moon"*** um die falsche Welt richtig zu stellen. (physische Erlösung).

Weitere Beispiele:
Noahs zweiter Sohn Ham verlor den Glauben an seinen Vater, kritisierte ihn, und konnte deshalb das Erbe seines Vaters nicht übernehmen. Noahs erster Sohn Ham erhielt das Erbe seines Vaters und wurde der Vorfahr von Abraham. Abraham versagte bei seiner Opferung, alle Tiere zu teilen. Er teilte die Tauben nicht. Deshalb wurde seine Mission auf Isaak und Jakob ausgedehnt, und Jakobs Nachkommen mussten 400 Jahre in Ägypten durch Frondienst leiden.

Der 23. September 2017
Hyung Jin Nim, der mit seinem Vater SMM und mit unseren himmlischen Vater in einem sehr innigen Verhältnis steht, vereinbarte eine Ehesegnung zwischen Himmel und Erde. Damals, im Jahr 1952 in Busan in Südkorea, besuchte eines Tages eine junge Dame SMM in seiner Hütte auf einem Hügel. Ihr Name ist Hyun Shil Kang. Sie wurde seine ers-

te begeisterte Nachfolgerin in diesem Jahr. Hyun Shil Kang blieb über Jahrzehnte ein treues Mitglied, und floh mit Hilfe einiger Mitglieder, im Dezember 2016 von Korea nach PA um Hyung Jin Nim zu unterstützen. Am 23. September 2017 wurde Hyun Shil Kang von Hyung Jin Nim mit SMM in der geistigen Welt gesegnet, und steht seit diesem Zeitpunkt an der Seite von SMM dem Wahren Vater, Messias, Herrn der Wiederkunft und König aller Könige, als seine Frau in der Position der Wahren Mutter. Sie ersetzte somit die Position von Hak Ja Han, die SMM den Messias und König aller Könige verlassen hatte.
Alle Menschen die guten Willens sind, um das Himmelreich auf Erden zu verbreiten, sind eingeladen, am Baum des Lebens teilzunehmen, um Wahres Leben, Wahre Liebe und Wahre Blutslinie zu erben und weiterzugeben. Ursprünglich sind Adam und Eva als Prinz und Prinzessin geboren, um nach ihrer Ehesegnung unter Gottes Herrschaft zum König und Königin in der Familie gekrönt zu werden. Dieses Königtum hätte sich schließlich auf die ganze Erde ausgebreitet. Wir bezeichnen es ***das Himmelreich auf Erden. Wir stehen im Brennpunkt dieses Zeitalters, wo sich die Tore des Himmels für jeden Menschen geöffnet haben. Die Pfropfung an den Weinstock, den Messias, durch die Heilige Wein Zeremonie und die Segnung, ermöglicht jedem Ehepaar als König und Königin auf der Ebene der Familie von Gott wahrgenommen zu werden.***

Jetzt ist die Zeit herangebrochen, wo die Menschheit wieder an Gottes Blutslinie der Wahren Liebe angeschlossen werden kann. Sun Myung Mun hat sein Leben dafür geopfert, um der Menschheit das Wort Gottes direkt vom Vater zu verkünden, und uns durch die Heilige Wein Zeremonie und die Segnung wieder an ihm, Gott, unseren ewigen Vater des Himmels und der Erde anzubinden. Dies drückt auch Jesus in der Bibel aus:

Joh. 16:25
Dies habe ich in verhüllter Rede zu euch gesagt; es kommt die Stunde, in der ich nicht mehr in verhüllter Rede zu euch spreche , sondern euch offen den Vater verkünden werde.
Matth. 24, 42-44
seid wachsam, denn ihr wißt nicht, an welchem Tag euer Herr kommt...
Mark. 13:32
doch jenen Tag, jene Stunde kennt niemand, auch nicht die Engel im Himmel, nicht einmal der Sohn, sondern nur der Vater.

Röm. 11, 16-18 hier wird die Anpfropfung der Menschen an den wahren Ölbaum beschrieben.
Ist die Erstlingsgabe vom Teig heilig, so ist es auch der ganze Teig; ist die Wurzel heilig, so sind es auch die Zweige. Wenn aber einige Zweige herausgebrochen wurden und wenn du als Zweig vom wilden Ölbaum in den edlen Ölbaum eingepfropft wurdest und damit Anteil erhieltest an der Kraft seiner Wurzel, so erhebe dich nicht über die anderen Zweige.

Die Bibel und das Schwert
Gen. 3, 23-24
Gott der Herr, schickte ihn aus dem Garten von Eden weg, damit er den Ackerboden bestellte, von dem er genommen war. Er vertieb den Menschen und stellte östlich des Gartens von Eden die Kerubim auf und das lodernde Flammenschwert, damit sie den Weg zum Baum des Lebens bewachten.
Sonntagsgottesdiest vom 14. Juli 2019 PA Unification Sanctuary
Hyung Jin Moon der zweite König von Cheon Il Guk (Himmelreich auf Erden) spricht über das Flammenschwert, das Gott östlich vom Garten Eden aufgestellt hat, um den Baum des Lebens zu bewachen, nachdem Adam und Eva gefallen waren, und der Sünde Tür und Tor geöffnet hatten.
Die Ich-bezogenen, machthaberischen, eifersüchigen, neidischen Gedanken Luzifers, haben sich durch die sexuelle Vereinigung Luzifers mit Eva in Evas Schoß niedergelassen.
Durch den sexuellen Akt Evas mit Adam, wurde Adams reiner aus Gottes Wurzel, aus Gottes Kern geschaffener Same, mit Luzifers falschen egozentrischen Samen vermischt.
Hier wurde der Grundstein des Konflikts im Menschen zwischen Geist und Körper gelegt. Adam konnte deshalb nicht zum Wahren vollkommenen Menschen, zu einem Baum des Lebens werden, dessen Wurzel aus Gott stammt.
Dies bedeutete das Vertreiben des Menschen aus dem Paradies, dem Bereich der Reinheit, der Freiheit, der reinen selbstlosen Liebe, deren Wurzel aus Gott stammt.
Zerstörerische, Ich-bezogene Gedanken, die durch den sexuellen Akt zu Ich-bezogenen Handlungen wurden, haben im reinen Herzen Gottes keinen Platz.
Deshalb stellte Gott östlich des Gartens Eden das lodernde Flammenschwert auf, um den Bereich der Reinheit des Herzens, den Baum des Lebens zu beschützen.
Seit dieser Zeit ist es die Hoffnung des Menschen, den Baum des Lebens, der aus der

Wurzel des Herzens Gottes stammt, und den vollkommenen Adam darstellt, wieder zu erlangen.

Sprüche: 13:12

Hingehaltene Hoffnung macht das Herz krank, erfülltes Verlangen ist ein Lebensbaum.

Offb. 22:14

Selig, wer sein Gewand wäscht: Er hat Anteil am Baum des Lebens, und er wird durch die Tore in die Stadt eintreten können.

Was bedeutet nun das lodernde Flammenschwert:

Ein Schwert ist grundsätzlich eine Waffe.

Ein Flammenschwert bedeutet somit – ein feuriges Schwert.

Ein loderndes Flammenschwert bedeutet – es ist jederzeit einsatzbereit.

Jesus hat seine Jünger auch mit Schwertern bewaffnet.

Luk. 22, 35-38 Die Stunde der Entscheidung

Dann sagte Jesus zu ihnen: Als ich euch ohne Geldbeutel aussandte, ohne Vorratstasche und ohne Schuhe, habt ihr da etwa Not gelitten? Sie antworteten: Nein. Da sagte er: Jetzt aber soll der, der einen Geldbeutel hat, ihn mitnehmen und ebenso die Tasche. Wer aber kein Geld hat, soll seinen Mantel verkaufen und sich dafür ein Schwert kaufen. Ich sage euch: An mir muss sich das Schriftwort erfüllen:

Er wurde zu den Verbrechern gerechnet. Denn alles, was über mich gesagt ist, geht in Erfüllung. Da sagten sie: Herr, hier sind zwei Schwerter. Er erwiderte: Genug davon!

Joh. 2, 13-16 Die Vertreibung der Händler aus dem Tempel

Das Paschafest der Juden war nahe und Jesus zog nach Jerusalem hinauf. Im Tempel fand er die Verkäufer von Rindern, Schafen und Tauben und die Geldwechsler, die dort saßen. Er machte eine Geißel aus Stricken und trieb sie alle aus dem Tempel hinaus, dazu die Schafe und Rinder; das Geld der Wechsler schüttete er aus und ihre Tische stieß er um. Zu den Taubenhändlern sagte er: Schafft das hier weg, macht das Haus meines Vaters nicht zu einer Markthalle!

Was können wir aus diesen Bibelversen lernen?

Aus der Szene im Tempel können wir schließen, dass Jesus sehr energisch gegen Geschäftemacherei im Hause seines Vaters vorging.

Was ist der Tempel? Der Tempel wird auch die Wohnung Gottes im Menschen bezeichnet.

In welchen Menschen?

Im vollkommenen Menschen

Jesus war der erste Mensch, der den vollkommen reinen und wahren Menschen dar-

stellte, der Wahre Sohn Gottes, der Baum des Lebens.
Deshalb duldete Jeses absolut keine Verunreinigung des Tempels, der ein Symbol der Wohnung Gottes, des vollkommenen Menschen darstellt. Deshalb trieb Jesus diese Leute samt ihrem Vieh beim Tempel hinaus.
Die Szenen, oben im Lukasevangelium beschrieben, sind kurz gesagt, dramatisch. Luk. *22, 35-38*
Die Tage und Stunden vor Jesu Verhaftung am Ölberg zeigen uns seine extrem schwierige Situation, wo es um Leben oder Tod geht.
Jesus hat seine Jünger mit Schwerter bewaffnet.
Da müssen wir etwas über unseren Tellerrand hinaussehen um den Hintergrund seines agierens zu verstehen.
Jesus hat bis zum Schluss gehofft, eine Möglichkeit zu finden, um sein Volk und die gesamte Menschheit für sich und für Gott zu gewinnen. Dies bezeugt auch sein verzweifeltes Gebet am Ölberg.

Während seines Gebets hoffte Jesus noch immer, dass zumindest seine drei Hauptjünger mit ihm wachen und beten und voll hinter seinen Handlungen und somit auch dem Willen Gottes stehen.
Wenn die drei Jünger, allen voran Petrus, mit Jesus vereint gebetet und Wache gehalten hätten, so hätte Gott seine Kraft einsetzen können und mit einer Legion von Engel mit den flammenden Schwertern, Jesus und seine Jünger mit ihren physischen Schwertern unterstützt und beschützt, und die heranrückenden römischen Hauptleute mit Judas Ischkariot in die Irre geführt und in den Abgrund gestürtzt.
Diese Einheit zwischen Jesus und seinen drei Jüngern, hätte schließlich doch noch die Grundlage geschaffen, dass Jesus eine Braut finden, und die Hochzeit des Lammes hätte feiern können.
Das Himmelreich auf Erden hätte seinen Anfang genommen.
Dies geschah nicht, die Jünger schliefen ein, Jesus wurde gefangen genommen. Einer seiner Jünger zog eigenmächtig das Schwert, das durch die Uneinheit zwischen Jesus und seinen Jüngern nutzlos geworden war; weshalb Jesus sagte: Stecke dein Schwert wieder in die Scheide.
Dann flohen seine Jünger.
Er hatte keine einzige Rückendeckung, und musste sich so den römischen Hauptleuten ergeben.
Jesus legte sein Leben in die Hände seiner Verfolger, nahm den bitteren Kelch auf sich,

und vergab jenen die ihn kreuzigten.
Gottes wertvollster Mensch, Jesus Christus, der Baum des Lebens, der den wertvollen reinen Samen Gottes in sich trägt; der Körper dieses Menschen wurde getötet. Sein Same konnte auf Erden nicht Fuß fassen, und kehrte zu Gott zurück.
Die Kerubim mit dem lodernden Flammenschwert bewacht weiter den Weg zum Baum des Lebens bis zur Wiederkunft Christi, die wir in diesem Buch beschrieben haben,

Der Wiedergekehrte Christus, SMM, Messias und König aller Könige
stellt das neue Jerusalem dar, und alle, die ihre Kleider rein waschen, können durch die Tore eintreten in die Stadt. Alle anderen bleiben draußen. *Offb. 22:14*
Diese Sadt ist nicht nur an einem Ort gebunden, sondern kann überall auf der Welt durch Menschen, die sich mit dem Herrn der Wiederkunft, Messias und König aller Könige in der Gestalt von Sun Myung Moon und seiner noch zu seinen Lebzeiten errichteten Dreikönigschaft verbinden, errichtet werden.
Die Dreikönigschaft mit:
Sun Myung Moon 1. König
Hyung Jin Moon 2. König
Shin Joon Moom 3. König zukünftig
Auch der gute Hirte mit seinem Stab, der seine Lämmer und Schafe weidet und beschützt, ist ein Symbol für den Messias, der sein Volk mit eisernen Stab beschützt.
Offb. 2:27
Er wird über sie herrschen mit eisernen Zepter, und sie zerschlagen wie Tongeschirr.
Offb. 12:5
Und sie gebar ein Kind, einen Sohn, der über alle Völker mit eiseren Zepter herrschen wird. *Offb. 19:15-16*
Aus seinem Mund kam ein scharfes Schwert, mit ihm wird er die Völker schlagen. Und er herrscht über sie mit eisernem Zepter, und er tritt die Kelter des Weines, des rächenden Zornes Gottes, des Herrschers über die ganze Schöpfung. Auf seinem Gewand und auf seiner Hüfte trägte er den Namen: „König der Könige und Herr der Herren“
Wie sieht das lodernde Flammenschwert heute aus?

Aus Metall und Feuer das lodert!
Das heutige Schwert ist ein Gewehr, das jederzeit bereit ist zu feuern. Es lodert!
Es ist eine Feurwaffe!
Eine AR-15 oder ähnliche Schusswaffen dieser Kategorie sind Feuerwaffen,

die das neue Jerusalem, die Dreikönigschaft beschützen.
Dehalb ist es noch wichtiger das junge Königspaar Hyung Jin Moon und seine Frau Yeon Ah Lee mit ihren Kindern vor feindlichen Angriffen zu schützen.
Wobei Hyung Jin Moon selbst mit eisernen Zepter an vorderster Front steht.

Das Wichtigste dürfen wir dabei nicht außer Acht lassen. Wie oben im Buch der Offenbarung 19:15 geschrieben steht:

Aus seinem Mund kommt ein scharfes Schwert ...
Dieses scharfe Schwert, bedeutet auch das Worte Gottes, das aus dem Mund des Menschensohnes, des Messias und König aller Könige kommt. Er wird der Menschheit klar und deutlich mit scharfer Zunge das Wort und den Willen Gottes übermitteln.
Diese Worte haben die geistige Kraft, die bösen egozentrischen Elemente, die in jeden Menschen vorhanden sind, zum schmelzen zu bringen.
Es ist die Aufgabe jedes Einzelnen, seine nicht göttlichen Elemente, durch das Wort Gottes in den letzten Tagen, soweit zu erhitzen, damit die Seele von den Fesseln der Sünde befreit werden kann.
Hier beginnen wir das Himmelreich in uns zu errichten, welches ein Königreich ist.
Auch das kleinste Königreich braucht einen äußeren Schutz, den wir nicht außer Acht lassen dürfen.
Dehnen wir nun dieses winzige Königreich auf die ganze Welt aus, so können wir dies zunächst in einfacher Form zusammenfassen:
Rechtschaffene Bürger und Kinder Gottes dürfen nicht schutzlos dem Terror und seinen Untertanen, sowie auch Einzelgänger, die den Wert des menschlichen Lebens nicht schätzen, ausgesetzt sein.
Eine AR-15 oder Waffen ähnlicher Art, sind ein Symbol der Stärke, die einen möglichen Täter davor abhalten, einen Angriff auf wehrlosen Menschen in die Tat umzusetzten. Der Besitz einer derartigen Waffe sollte deshalb jenen Menschen anvertraut werden, die bereit sind gemäß dem Prinzip der göttlichen Ordnung zu leben und zu handeln. Das heißt, die wechselseitigen Beziehungen in der Familie, in der Gesellschaft, innerhalb einer Nation und darüber hinaus mit Respekt und Anerkennung, Wertschätzung und Hingabe, zu begegnen. Jeder Missbrauch der von Gott gegeben Ordnung, die in einem Paarsystem eingebettet ist, sowohl in der Natur, als auch beim Menschen, kann nicht toleriert werden.
Das menschliche Leben beginnt im Mutterleib, und endet mit dem physischen Tod.

Innerhalb dieser Zeitspanne ist jedes menschliche Wesen, ob männlich oder weiblich, von einzigartigen, göttlichen und ewigen Wert. Dies zu schützen ist allerhöchstes Gut. Sowie jede Nation ein Militär zur Verteidigung hat, eine Polizei zur inneren Sicherheit, Feuerwehr und Rettung im Notfall, den Jäger zum Schutz und Kontrolle unserer frei lebenden Tiere, so ist es auch gut, eine Miliz für den Frieden zu haben, die aus Bürgern besteht, die freiwillig und verantwortungsbewußt bereit sind, ihre Familie, ihre Nachbarschaft und darüber hinaus, bei Gefahr von Leib und Seele zu schützen. Jene Bürger sollten auch die Erlaubnis haben, im Besitz einer Waffe zu sein, und durch eigenes Training im Umgang mit der Waffe vertraut zu werden und zu bleiben.
Je mehr verantwortungsbewußte Menschen in einem Staat im Besitz einer Waffe sind, und auch bereit sind seinem Nachbar im Notfall zu schützen und zu helfen, um so sicherer ist diese Nation vor feindlichen Übergriffen von Innen und von Außen.

Entscheidende Momente im Leben von Jesus Christus und Sun Myung Moon

Entscheidende Momente im Leben von Jesus Christus und Sun Myung Moon
Am Tage vor seiner Gefangennahme am Ölberg sagte Jesus zu seinen Jüngern:
Da sagte er: Jetzt aber soll der, der einen Geldbeutel hat, ihn mitnehmen und ebenso die Tasche.Wer aber kein Geld hat, soll seinen Mantel verkaufen und sich dafür ein Schwert kaufen.
Luk. 22:36
Am Abend am Ölberg, als Judas mit seinem Gefolge zu Jesus kam, um ihn gefangen zu nehmen, traten die Jünger Jesu hervor und fragten ihn, ob sie mit dem Schwert dreinschlagen sollen?
Jesus wies sie zurück und heilte das abgehauene Ohr eines Dieners. Er wußte bereits, dass Petrus, und die anderen Jünger nicht voll und ganz im Herzen zu ihm standen, was sich später herausstellte, als Petrus am Haus des Hohepriesters Jesus drei mal verleugnete. *Luk. 22, 39-62*
Petrus ging später hinaus und weinte bitterlich, weil er Jesus verleugnete.
Jesus hatte in dieser schicksalhaften Stunde niemand, auf den er sich verlassen konnte.
So ging Jesus freiwillig den Weg des Leidens, vergoss sein Blut und opferte sich auf.
Denn so sehr hat Gott die Welt geliebt, dass er seinen eingeborenen Sohn dahingegeben hat, damit jeder, der an ihn glaubt. Nicht verloren gehe, sondern ewiges Leben habe. *Joh. 3:16*

Petrus bittere Tränen der Reue draußen in der Nacht vor dem Hof des Hohepriester hatte Jesus wahrgenommen, und das Band der Liebe zwischen Jesus, der die Hand ausstreckte, und Petrus gestärkt.

In Joh. 15:13 lesen wir:

Es gibt keine größere Liebe, als wenn einer sein Leben für seine Freunde hingibt.

Sun Myung Moon hat das Buch mit den sieben Siegeln geöffnet; als der wiedergekehrte Christus, das Lamm Gottes und Messias, wurde er geschlachtet, und vergoss sein Blut zur Erettung der verlorenen Kinder Gottes hier auf Erden.

In der *Offbarung 5, 9-10 lesen wir:*

Und sie sangen ein neues Lied:

Würdig bist du, das Buch zu nehmen und seine Siegel zu öffnen; denn du wurdest geschlachtet und hast mit deinem Blut Menschen für Gott erworben, aus allen Stämmen und Sprachen, aus allen Nationen und Völkern, und du hast sie für unseren Gott zu Königen und Pristern gemacht und sie werden auf der Erde herrschen.

Rev. Sun Myung Moon hat das Buch mit den sieben Siegeln geöffnet. Als der wiedergekehrte Christus, das Lamm Gottes und Messias, hat er unvorstellbares Leid erduldet, sein Blut vergossen, um die leidenden Menschen von der Knechtschaft Satans zu befreien. *Offb. 5, 9-10*

Hier ein Ausschnitt aus der Rede von Sun Myung Moon:
The Age of Judgment and ourselves, November 21, 1976 Belvedere, New York, wo er den Schutz des Volkes Gottes betont.
If the time comes to fight the satanic force, I will never hesitate to become the commander in chief and lead the heavenly army into battle. Do you think the Defense Department can safeguard God`s world? Don`t trust it too much. You can only trust the heavenly forces that are dedicated to God`s purpose.
Our young people should be trained in every way physically. In a final war against the satanic force it will be a life or death battle. In order to safeguard the heavenly side we may need to become solders. It is Satan`s nature that once he feels he is in a superior position he will attack.
Is it a crime to defend yourself and the heavenly nation?
You should not have some naive concept of Christian love, that does not apply in a confrontation with Satan`s forces, which are determined to destroy God`s world and God`s people.
If God has no power to defend a satanic attack then he is no longer God. As God`s force, we shall be able to defend ourself and to defend the godly world. We are a different kind of religious leadership.
Ausschnitt aus der Rede: Deutsche Übersetzung
„Das Zeitalter des Gerichts und wir“
Wenn die Zeit kommt, um gegen die satanischen Mächte zu kämpfen, werde ich niemals zögern, um als Kommandant diw himmlische Armee in die Schlacht zu führen. Glaubt ihr dass das Verteidigungsministerium Gottes Welt beschützen kann?
Vertraue dem nicht zu viel. Ihr könnt nur den himmlischen Mächten vertrauen, die sich dem Zweck Gottes hingeben.
Unsere jungen Leute sollten physisch in vielerlei Hinsicht trainiert werden. In einem entscheidenden Krieg gegen die satanischen Mächte, wird dies eine Schlacht auf Leben oder Tod. Um die himmlische Seite zu schützen, müssen wir möglicherweise Soldaten werden. Es ist Satan`s Natur, sobald er sich überlegen fühlt, attackiert er. Ist es kriminell sich selbst und die himmlische Nation zu schützen?

Wir sollten kein naives Konzept der christlichen Liebe haben, welches in einer Konfrontation mit Satan`s Mächte nicht anwendbar ist, weil diese entschlossen sind, die Welt Gottes und seine Menschen zu zerstören. Wenn Gott keine Macht hat, um eine satanische Attacke zu verteidigen, dann ist er nicht mehr länger Gott. Als die Kraft Gottes sollen wir fähig sein, uns selbst und Gottes Welt zu verteidigen.
Wir sind eine andere Art religiöser Führerschaft.

Die Vereinigung der Religionen

Religionen wurden von Gott ins Leben gerufen, um den einzelnen Menschen als auch die gesamte Menschheit an das göttliche, an Gott wieder anzubinden. Das heißt, die durch den Fall verlorengegangene Verbindung zwischen „Gott und Mensch" wieder herzustellen. Das Judentum war die erste uns bekannte Religion die Gott etablierte, um daraus den Erlöser, den Messias hervorzubringen. Das Judentum war geprägt durch die mosaischen Gesetze, die den Glauben an den einen lebendigen Gott zum Ausdruck brachten.
Abraham ist der Glaubensvater des Judentums. Abraham hatte zwei Söhne. Den ersten Sohn Ismael gebar ihm Hagar, seine Magd, nachdem Sarai, Abrahams Frau nicht schwanger wurde. *Gen. 16, 1-16*

Einige Jahre später gebar auch Sarai Abrahams Frau einen Sohn, nachdem ihm dies von Gott verheißen wurde. Abraham nannte seinen zweiten Sohn Isaak. Später wird Hagar mit ihrem Sohn Ismael mit Abrahams Einwilligung von Sarai in die Wüste geschickt, da Sarah wegen Erbschaftsangelegenheiten auf Ismael eifersüchtig wurde. Hagar wurde in der Wüste in ihrer verzweifelten Lage von einem Engel Gottes gerettet. Der Engel fügte hinzu: Zu einem großen Volk will ich Ismael machen. Ismael ließ sich in der Wüste Paran nieder, sein Siedlungsgebiet reichte von Hawila bis Schur, das an der Straße nach Assur liegt. Seine Mutter Hagar gab ihm eine Ägypterin zur Frau.
Ismael hatte 12 Söhne, die zu zwölf Stämmen wurden, die Ismaeliten. Daraus entwickelten sich die arabischen Stämme. *Gen. 21, 17-21*

Als Isaak ca. 12 Jahre alt war, befahl Gott Abraham, er soll auf einem Berg gehen, den er ihm zeigen wird, um seinen Sohn Isaak zu opfern. Wir können uns kaum vorstellen

mit welch schweren Herzen Abraham mit seinem zwölfjährigen Sohn 3 Tage auf dem Weg zu diesem Berg unterwegs war. Er musste es Isaak in einer verständlichen Weise klar machen, dass Isaak, sein einziger Sohn, das Opfer sein würde. Isaak gehorchte seinem Vater, und in diesem Sinne auch Gott. Durch diesen bedingungslosen Glauben Abrahams Gott gegenüber, und Isaaks seinem Vater gegenüber, durch diese Einheit zwischen Vater und Sohn, blieb Isaak am Leben, und das Erbe Abrahams ging auf seinen Sohn Isaak über. Isaak hatte mit seiner Frau Rebekka Zwillingssöhne mit den Namen Esau und Jakob. Wobei Jakob der zweitgeborene den Segen Gottes erhielt.
Der Konflikt zwischen den zwei Zwillingsbrüdern Esau und Jakob:
Ist in der *Genesis 25, 19-35*.
Jakob hatte mit Hilfe seiner Mutter Rebekka das Erstgeburtsrecht und den Erstgeburtssegen durch eine List von Esau gestohlen. Jakob musste deshalb vor den wütenden Esau flüchten. Bei seiner Rückkehr nach 21 Jahren am Hofe seines Onkels Laban, schickte Jakob sein ganzes Hab und Gut voraus, um das Herz Esaus zu besänftigen. Esau war so gerührt, und die beiden Brüder umarmten sich. Dadurch konnte Gott einen Sieg der Liebe auf der Familienebene erringen. Was bei Adams Söhne durch den Mord Kains an Abel mit einer Katastrophe endete, wurde nun durch Jakobs Ergebenheit das zornige Herz von Esau besänftigt und die beiden umarmten sich.
Gott versprach Abraham, er werde seine Nachkommen so zahlreich wie Sand im Meer machen. Jakobs zwölf Söhne zogen nach Ägypten und vermehrten sich dort unter dem Arbeitsdruck der Pharaonen sehr rasch. Die zwölf Söhne wurden die Stammväter der zwölf Stämme Israels. Den Namen Israel erhielt Jakob auf dem Weg zurück zu Esau, als er an der Furt des Jabok eine Nacht mit einem von Gott gesandten Engel kämpfte, und dieser im Morgengrauen Jakob segnete und ihm den Namen Israel gab. Israel bedeutet auch Sieger. *Gen. 32, 23-33*
Nach 400 Jahre Knechtschaft in Ägypten wurde das Volk Israel, ca. 600000 an der Zahl von Moses aus Ägypten herausgeführt, bis es über Umwege das Land Kanaan erreichte. Unter Moses erhielten die Israeliten die Gesetze mit den zwei Steintafeln. Somit hatten die Israeliten klare Anweisungen, wie sie den Glauben an den einen lebendigen Gott zu führen hatten. Juda, der vierte Sohn Jakobs hatte eine besondere Familiengeschichte.
Aus Judas Nachkommen wurde König David und schließlich Jesus geboren. *Gen. 38, 1-30*
Schließlich kam Jesus als der Wahre Sohn Gottes, der Gesalbte und Messias. Jesus wurde von seinem Volk abgelehnt und ans Kreuz geschlagen. Dadurch konnte Jesus

den Willen Gottes, das Himmelreich auf Erde zu errichten, nicht erfüllen. Durch seine Auferstehung eröffnete Jesus den Bereich des Paradieses in der geistigen Welt. Alle Christen, die seine Worte glauben und danach leben, haben die Hoffnung nach ihren physischen Tod in das Paradies einzugehen. Wie wir wissen, versprach Jesus die Wiederkunft. Das Christentum ist die Religion der Märtyrer geworden, da die Christen unter dem römischen Reich 400 Jahre verfolgt wurden. Der Glaube an den Auferstandenen Jesus Christus gab ihnen die Kraft und Ausdauer die Verfolgung auf sich zu nehmen, in der Hoffnung Christus im Paradies zu sehen.

Die Ismaeliten, die Nachkommen von Ismael mit ihren zwölf Stämmen verbreiteten sich im Arabischen Raum. 570 nach Ch. wurde Mohammed geboren. Ca. 610 erhielt er vom Engel Gabriel Offenbarungen über den Glauben an den einen Gott. Zu dieser Zeit hatten die arabischen Völker verschieden Kultreligionen, wie etwa zur Zeit Moses die Ägyptischen Pharaonen. Deshalb wollte Gott die arabischen Völker zu einem monotheistischen Glauben bringen. Diese Mission wurde Mohammed zuteil. So wie die Israeliten Gott ihren Herrn als Diener anbeteten, und in der Position eines Dieners Gott gegenüber standen, so lehrte Mohammed den Dienst an Gott Allah den Einzigen und Allmächtigen. Moses erhielt am Berg Sinai die Gesetze vom Engel Gabriel. Mohammed erhielt ebenfalls seine Offenbarungen vom Engel Gabriel. Die Engel, und im besonderen der Engel Gabriel ist ein Diener Gottes um Botschaften zu überbringen. In diesem Verständnis befinden sich die Gläubigen beider Religionen in einer Herr- und Diener-Beziehung. In Israel sind viele Propheten aufgetreten, schon Abraham wurde als Prophet erkannt. Abraham ist der Stammvater. Die drei Generationen mit Abraham, Isaak und Jakob, sind der Ausgangspunkt des Volkes Israel.
Jakob erhielt an der Furt des Jabok vom Engel den Namen Israel, daraus entwickelte sich das Volk Israel. Ismael, der Sohn von Hagar wurde zu einem großen Volk aus zwölf Stämmen, die Ismaeliten, sie verbreiteten sich im arabischen Raum. Mohammed der Prophet ist der Ausgangspunkt des Islam. Ismael-Islam Israel-Israeliten

Die Christen als Nachfolger Jesus Christus dürfen zu Gott als Vater beten. Jesus hat aus den bereits erwähnten Gründen die Wiederkunft versprochen. Der Herr der Wiederkunft vermittelt uns die direkte Vater-Sohn Beziehung, und wird als Messias und König aller Könige, die Religionen und die gesamte Menschheit mit unseren Himmlischen Vater verbinden.

Dadurch können die Konflikte innerhalb der einzelnen Religionen, sowie der Religionen untereinander zu einer Lösung und Vereinigung geführt werden. Die Verbindung mit Gott bedeutet, die wahre und ursprüngliche Erblinie Gottes, die der Messias und Herr der Wiederkunft in sich trägt, an die Menschheit zu verpflanzen. Alle Religionen warten auf den Erlöser: Judentum, Christentum, Islam, Buddhisten, Konfuzius, Hinduismus, sie alle wünschen sich eine friedliche Welt. Wenn wir mit Gott, unserem Schöpfer der unser liebender Vater ist, eine direkte Verbindung herstellen, können wir unsere zwischenmenschlichen Beziehungen ausloten, und dem bösen Treiben satanischer Mächte Einhalt gebieten. SMM, der Herr der Wiederkunft, Messias und König aller Könige hat Religionen und deren Führungskräfte bei Konferenzen zusammengeführt, und aufgezeigt, wie die Religionen auf der Grundlage des göttlichen Prinzips zusammenfinden können. Besonders die drei monotheistischen Religionen Judentum, Christentum und Islam, die gemeinsam Abraham als ihren Stammvater und Glaubensvater verstehen, haben nun die Möglichkeit durch Gottes Schöpfungsprinzip und den Weg der Wiederherstellung im Laufe der Geschichte, die Konfliktbereiche untereinander zu bearbeiten und Schritt für Schritt aufzulösen. Durch Sun Myung Moon dem Herrn der Wiederkunft, Messias und König aller Könige, ist der Eckstein für das Reich Gottes gesetzt worden. Das Reich Gottes ist ein Bereich wo jeder Bürger aus der persönlichen Herzensbeziehung zu Gott lebt und handelt.
SMM hat im Jahr 2008 seinen jüngsten Sohn Hyung Jin Nim und dessen Frau Yeon Ah Nim als Nachfolger und Erbe bestellt, und im Jahr 2009 drei Mal gekrönt. Nach all den Turbulenzen durch das Fehlverhalten von Hak Ja Han Moon, was auch den Übergang in die geistige Welt von SMM im Jahr 2012 ausgelöst hat, setzte Hyung Jin Moon als 2. König des beginnenden Himmelreiches (Cheon Il Guk) das Werk seines Vaters SMM, wie wir schon beschrieben haben, fort. Jeder Mensch, egal aus welchem religiösen Kulturkreis er stammt, oder atheistische Weltanschauung er vertritt, ist eingeladen, an der Erfüllung des irdischen himmlischen Königreiches mitzuwirken.

Die Mitwirkung beinhaltet:
*Jeder Mensch kann erst dann zu seiner wahren inneren Stabilität und seinen Frieden finden, sobald jeder Mann, jede Frau, eine lebendige Beziehung zu Gott unserem Schöpfer findet, und mit Überzeugung sagen kann: Ich bin ein Kind des ewigen, unveränderlichen, liebenden Gottes unseres Vaters des Schöpfers des Himmels und der Erde. In seinem Sinne will ich meine Gedanken Worte und Werke ausrichten, und meinen Nächsten, (schließt die Menschenrechte mit ein) sowie der Schöpfung mit Ehrfurcht

und Dankbarkeit gegenüber stehen. Da wir alle aus einer gefallenen Blutslinie stammen (aus Adam) ist es notwendig, dass wir an den wiederhergestellten Adam, (Jesus-Sun Myung Moon) gepfropft werden. Dies geschieht durch die Heilige Wein Zeremonie und Ehesegnung, von Sun Myung Moon eingeführt, nun von seinem Repräsentanten und Erbe Hyung Jin Moon weitergeführt. Diese Ehe ist absolut rein zu halten, und ist auch über den physischen Tod hinaus in der geistigen Welt für ewig gültig. Nur die reine Beziehung zwischen Ehemann und Ehefrau, die in der sexuellen Beziehung ihre höchsten Glücksgefühle ausschüttet, hat auf Dauer Bestand und führt uns trotz schwierigen Situationen in Richtung Zufriedenheit und Glück.
*Jegliches öffentliche Geld darf nicht missbraucht und für private Zwecke verwendet werden.

Dies sind fundamentale Grundregeln, die ein friedliches Zusammenleben auf unserem Planeten ermöglichen.

Da wir nun vom Beginn des himmlischen Königreiches Gottes (Cheon Il Guk) auf Erden gesprochen haben, gehen wir der Frage nach, was passiert, wenn wir unser physisches Leben auf Erden beenden, und in die uns unbekannte Welt des Geistes hinübergehen. Über das Leben in der geistigen Welt, sind schon viele Bücher geschrieben worden, die uns eine Menge Aufschlüsse über das Leben danach übermittelt haben.
Dennoch sind für viele Menschen verschiedene Fragen über das Leben in der geistigen Welt offen geblieben. Da Gott ein ewiges Wesen ist, hat er auch uns Menschen, seine Kinder, in einer Weise geschaffen, dass wir für Immer im Bereich der Liebe mit ihm zusammen sein können. Wie ist der Mensch nun zusammengebaut? Wir haben einen physischen Körper, der von unserem physischen Gemüt gesteuert wird. Das physische Gemüt steuert unsere physiologischen Funktionen der Existenz, Vermehrung und Aktion. Der physische Körper hat eine beschränkte Lebenserwartung. Wie haben auch einen geistigen Körper, der von unserem geistigen Gemüt gesteuert wird, welches auch das Zentrum des gesamten Menschen ausmacht. Unser geistiges Gemüt hat drei Hauptmerkmale: Gefühl, Intellekt und Wille. Das Zentrum dieser drei Eigenschaften ist unser Herz. Es ist unser innerer Motor, von dem unsere Impulse, unsere Gedanken und Ideen herrühren. Dieses Zentrum, unser geistiges Gemüt, ist auch die eigentliche Wohnstätte Gottes unter den Menschen. Nun ist das Zusammenspiel zwischen unserem Geist und unserem Körper von großer Bedeutung. Unser geistiges Gemüt beliefert uns mit den verschiedensten Gedanken, Ideen und Vorhaben, die wir dann mit unserem physischen

Körper verwirklichen. Wenn sich unser Körper dem Willen unserer Ideen und Ziele unterordnet, und diese in die Tat umsetzt, so entsteht eine Einheit zwischen Geist und Körper. Wenn unsere Ideen und Vorhaben, dem Wohle unserer Nächsten dienlich sind, dann fühlt sich unser Herz wohl, Gefühle der Freude werden ausgeschüttet, und wir werden in Richtung des Guten, einer Welt des Friedens und der Freude geleitet. Wenn aber unsere Ideen und Vorhaben unseren Mitmenschen, in irgendeiner Form Schaden zufügen, dann fühlt sich unser Herz zunächst unwohl, unsicher und nicht glücklich. Wenn wir immer wieder solche Taten zulassen, dann werden wir in die Richtung des Bösen gelenkt, das zu einer Welt des Konflikts, der Trauer und des Leidens führt. In unserem geistigen Gemüt werden all unsere Lebenserfahrungen, unsere Aktionen aufgezeichnet. Sobald unser physischer Körper seine Funktionen beendet und stirbt, legen wir unsere physische Hülle ab, und unser geistiges Gemüt erhebt sich mit seinem geistigen Körper, öffnet seine geistigen fünf Sinne, und geht in einen gewissen Bereich in die geistige Welt ein, die unserem Leben auf der Erde, und unserer Herzensentwicklung entspricht.

Da die Entwicklung unseres Charakters; Gefühl, Intellekt und Wille in Zusammenarbeit mit unserem Körper stattfindet; ist die Einheit unseres Geistes mit unserem Körper, ausgerichtet auf Taten, die dem Wohle unserer Mitmenschen dienen, von enormer Wichtigkeit. Auf Grund des Falles wurde die noch nicht voll entwickelte Einheit bei unseren Vorfahren Adam und Eva zerstört, und bis heute nicht vollständig gelöst.

Alle bisher verstorbenen Menschen, leben in der geistigen Welt weiter. Sie sind innerlich nicht frei, da sie durch verschiedenste Konflikte, die sie während ihres Erdenlebens angehäuft haben, oft ungelöst auf ihren Weg in die geistige Welt mitnahmen. Diese Verletzungen, seelischer und körperlicher Natur (Mord und Selbstmord) betrifft Opfer und Täter zugleich. Entweder es wurde einem Menschen Schaden zugefügt, oder ein Mensch fügte einem anderen Menschen Schaden zu. Physischen oder seelischen Schaden können wir nur durch gute Worte oder Taten mit unserem Körper wiedergutmachen. Dies bedingt zunächst Reue seitens des Täters, und Verzeihung und Vergebung seitens des Opfers, was in jedem Fall ein äußerst schwieriges Unterfangen ist, und oft nicht mehr direkt möglich. Da die Menschen in der geistigen Welt keinen physischen Körper mehr haben, was vielen nicht bewußt ist, versuchen sie mit den Menschen auf Erden in Kontakt zu treten, und veranlassen diese, ihre Gewohnheiten während ihres physischen Lebens weiter zu pflegen. Jetzte kommt es darauf an, welche Gedanken, Worte und Werke die Menschen auf der Erde in die Tat umsetzten. Wenn die Taten in Richtung des Guten, des Gemeinwohls führen, dann können die Menschen in der geistigen Welt in diesem Zusammenspiel auch profitieren, und ihr Herz lenkt sie in Richtung des göttlichen Willens. Es gibt auch viele Menschen, die viel Böses auf Erden taten, und deshalb in der geistigen Welt weiterhin Böses im Schilde führen, und Menschen ihres Typs auf Erden veranlassen Böses zu tun.

Da gibt es viele Verstrickungen, die im Laufe der Geschichte auf der Erde und in der geistigen Welt entstanden sind, deren Auswirkungen zu beschreiben, würde den Rahmen dieses Buches sprengen. Aus den vielen Erfahrungen und Phänomenen in den Beziehungen zwischen physischer und geistiger Welt, ist im Laufe der Geschichte auch die Reinkarnationslehre entstanden, die besagt, dass Seelen der Menschen in der geistigen Welt wieder auf der Erde inkarnieren,(Seelenwanderung). Demnach kommt ein Mensch so oft auf die Erde, bis er seine Mission, oder seinen Zweck für sein Leben erfüllt.
An Hand einiger Beispiele in der Bibel, können wir dies auch folgendermaßen verstehen. Beginnen wir bei Adam. Adam hat einen Fehler gemacht, hat dem Wort Gottes nicht gehorcht, ist gefallen, und unglücklich in die geistige Welt eingegangen. Jesus wird in der Bibel als letzter Adam genannt. Das heißt: Jesus kam, um die Mission Adams zu erfüllen.
Adam war vor dem Sündenfall rein und makellos. Jesus kam ebenfalls rein und makellos zur Welt. Adam und Jesus hatten das Ziel, eine Familie zu errichten, in der die reine wahre Liebe substantiell etabliert wird. Adam scheiterte an seinem Unglauben, Jesus war mit dem Unglauben seines Volkes konfrontiert, und wurde ermordet, bevor er eine Familie errichten konnte. Deshalb versprach Jesus die Wiederkunft. Jesus kam aber nicht selber, sondern er bat 2000 Jahre später einen Menschen mit dem Namen Sun Myung Moon seine Mission zu vollenden. Dies zeigt uns folgendes: Adam hatte nur einen Körper, er konnte kein zweites Mal auf der Erde geboren werden, um seinen Fehler wiedergutzumachen. Jesus kam an seiner Stelle, konnte aber auf Grund des Unglaubens seines Volkes nicht alles erfüllen , was er wollte. Er versprach wieder zu kommen. Er kam nicht selber, sondern ein neuer Mensch mit dem Namen Sun Myung Moon. Sun Myung konnte schließlich eine Familie etablieren und seinen reinen makellosen Samen im Mutterschoß pflanzen. In diesem Sinne haben alle Menschen eine Mission auf Erden gemeinsam: Nämlich eine wahre Familie zu errichten, in der wahre Liebe, wahre Blutslinie reingehalten, und an die Kinder weitergegeben wird. Die zweite Mission ist: Unsere Gott-gegebenen Qualitäten und Fähigkeiten zu entdecken, zu entwickeln und zur vollkommenen Blüte zu bringen. Die daraus entstehende Freude, die

wir dadurch anderen Menschen und uns selber schenken, ist wiederum der Beginn des Himmelreiches auf Erden.Die Menschen in der geistigen Welt können uns dabei unterstützen, mit uns sich weiter- entwickeln, und zur Freude aller, im Diesseits und im Jenseits für immer in diesem riesigen Universum zusammen leben.
Auf den folgenden Seiten habe ich einige Fotos zu meinem Bericht hinzugefügt.

Sun Myung Moon führte mit seiner Frau Hak Ja Han im Jahr 2004 eine große internationale Segnung durch, an der Vertreter aller großen Religionen und Kulturen teilnahmen. Dies soll als Zeichen gelten, dass jeder Mensch, unabhängig welcher Herkunft und Kultur, durch eine auf Gott ausgerichtete Ehesegnung am Aufbau einer friedlichen Welt des Herzens mithelfen kann.

Zunächst ein Bericht mit Fotos über die Einweihung von Hyung Jin Nim and Yeon Ah Nim zum internationalen Präsidenten der Familienföderation für Weltfrieden und Vereinigung.

Weiters ein Bericht mit Fotos von der Krönungszeremonie von Hyung Jin Nim und Yeon Ah Nim als Nachfolger und Erbe des weltweiten Fundaments von Sun Myung Moon, für die Errichtung des Reiches Gottes auf Erden.

Islam

Hinduism

International Blessing

Shintoism

WCSF
f 400 Million Couples
Fifth Phase
Christian
Confucianis
Buddhis

Become an Inheritor

Thinking of this beautiful young man and woman standing here, representing Korea, the world, and furthermore the cosmos, I believe they are people you can take pride in. They will become the pillars of our house in the future. It is my hope and wish that the dutiful way of filial children, patriots, saints and divine sons and daughters will be fulfilled in relation to them. With that hope and wish, I, as a parent, am looking upon them with a heart full of anticipation that surpasses yours. So I fervently and earnestly hope you will offer your support so that these intentions can be quickly fulfilled. Aju. [Aju!] [Applause]

A blessing prayer should not simply consist of words. With this blessing prayer there is the form, the substance, and the central core of three ages—the Old, New and Completed Testament Ages representing formation, growth and perfection; all these are connected, brought together and related centering on the basis of that prayer. If, or when that relationship is established, you will know how to embrace and digest the realm of your ideal love partner. I am letting you know that once you become such people you can become historical representatives such that all you do leads to success.

Therefore, True Parents would like to convey everything, but the first thing that we would like to convey is the word—the historical word, the word that True Parents have loved, the word that God has desired, which is given through True Parents. These are not simply words for their own sake; they are derived from the core of the word, from its substance, and reach the realm of its counterpart that has external form. I will pass on the word—the word expressive of God's hope and the word that True Parents have put into practice centering on the standard of that hope—that you become the representative of that word.

When you become the owner of the word and not only read the text but also approach its deeper content, you will discover the words "achieving victory over resentment." If you go to America and open the first door you see at East Garden, you will see the inscription: "Achieving Victory over Resentment." Whose bitter pain are you relieving? It is the bitter pain of the cosmos, of heaven and earth. You have to overcome the bitter pain in the root, trunk and shoot, the resentment from three eras—the Old, New and Completed Testament Ages. Later you must go beyond the bitter pain of the realm of the heart of the fourth Adam.

Members of the Unification Church have, of course, attended me in person and followed the path that allowed them to become one with me. However, they must surmount the hill that is the realm of the heart of the fourth Adam together with me; yet I do not have much time left to do that with you. In that the hill of the heart of the fourth Adam is one that you should render eternally vanquished, the foundation you lay for realizing hope and finding success in whatever you do—which allows you to become a representative[1] and inheritor centering not only on me but also on God while living in that realm—should cause that hill to be substantially overcome. The world where you should live together eternally is the world of the realm of the heart of the fourth Adam.

The hope God had for Adam and Eve in the Garden of Eden—everything God cherished in His heart, His wishes for His son and daughter, who could have become the son and daughter He had hoped for, His representatives and inheritors—was lost due to the Fall. Consequently, a false lineage emerged. A world with a false form was created. It became a world whose substance is false. God became a king

1 Hyung-jin nim has indicated that he receives this title in the spirit that he is to be a bridge between members and True Parents.

of suffering with nowhere to stand, live or subsist; that is the truth. That king was actually our Heavenly Father. While He was cherishing that hope of love, the rope connecting them to Him was severed when they were sixteen years old. God could not reconnect it. It was not something He could do. Nothing would be left from the ideal of creation.

The person who is to reconnect this is the True Parent. [Humankind] abandoned the True Parent, and the world came to be this way. Therefore, in order to liberate God from His bitterness and sorrow, the True Parent must come and resolve this. Otherwise, God can never be liberated. You must be aware of what has come to pass.

He is not a passing guest, a passing friend, a passing teacher, a passing parent, not just some very precious person. He discovered God the Father and great master of the lofty and precious heaven and earth, God the owner, God the teacher, and God the parent that none of these people had been able to come to know. Knowing this, he is to establish a relationship with the great universe through which the world of the realm of the heart of the fourth Adam can infinitely expand and release God from His sorrow so that He will live eternally in happiness in our homes. Once God is in a position where He cannot be driven away, He will determine in His mind that He wants to live.

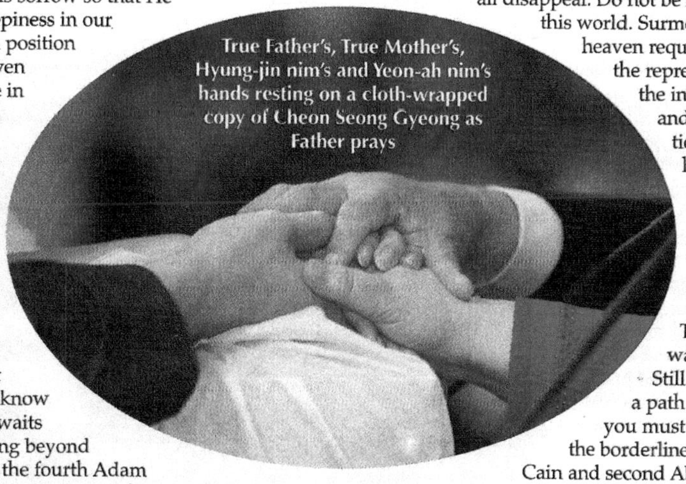

True Father's, True Mother's, Hyung-jin nim's and Yeon-ah nim's hands resting on a cloth-wrapped copy of Cheon Seong Gyeong as Father prays

Therefore, even if devoted sons, patriots, and the great queens among the saints rise to high positions covering tens of thousands of generations, they can go further toward a state of peace, the ideal hometown that awaits them. When you know that such a hometown awaits you, you will regard going beyond the realm of the heart of the fourth Adam as a task everyone is fated to accomplish. Your life up until now is not the problem; you must now stand in that position, that central position, where you can connect with and harmonize with the spirit world.

At that time, those ancestors who were unable to enter that world with me—the ancestors who have gone before us—should come down again to the earth and receive training for seven years. When you too grasp this principle, you'll understand you must pass through a seven-year period of tribulation, a seven-year period of indemnity, and a seven-year period of atonement and liberation at the end of your remaining time on earth. Otherwise, we will not be able to breathe the same air in the world in its original state.

You can become representatives and princes of the world of the transcendent realm of the heart of the fourth Adam, which God views as the ideal hometown. While yearning for such people, all things of creation have the hope that you will become a radiant sun, moon and star within the actuality of the spirit world. God and His creation are looking upon you with that kind of loving heart.

If you enter the heavenly world with me, the world that awaits you is one where the days are filled with hope greater than that which God had for any created being; such a world is awaiting you. If you have not fulfilled that hope in accordance with that world, a task that you are destined to fulfill and which you should embrace in hope is awaiting you. I hope you will not forget this.

Therefore I have assigned this son and daughter here on our behalf and I want to give them something of substance while giving them the word. At the same time, I want to give them the remainder of what should be done so that they can go to the heavenly world and become the second persons of happiness, liberated beings, and a prince and princess of liberation and complete inner freedom. In order to become that, you must know about the realm of the heart of the fourth Adam, that there is a world of the second inheritor, the path of a representative of the sons and daughters that can inherit that world, which no one knew of or completed.

This world is transient. It passes away. What relationships can you establish with this passing world? The parents whom you meet in this world, the teachers whom you are connected to in this world, the kingship, and anything else, will all disappear. Do not be hesitant over leaving this world. Surmount the final hill that heaven requires of you, become the representative of the victor, the inheritor of the victor, and inherit the key position of the root of the heart of the fourth Adam. From there you must go to the world of the heart of the third liberation, where you can serve and attend Heaven. True Parents, too, are walking up that path. Still you must know that a path remains along which you must overcome, with vigor, the borderlines between the second Cain and second Abel who are preparing for the world of heart. Do you understand?

On this occasion, I am giving the word and am also passing on the substantial realm of what True Parents have actually practiced. The word is precious; the reality of True Parents is precious, too. However, I ask that you have the conviction that you will become the representatives, prince and princess, and inheritors that can climb the hill of heart that is God's reality. Do you understand? [Yes.]

Then, in light of this, I am conveying this (the word) to you. [Applause] I must cooperate with my son and daughter so that they can become one with the word.

[*To Hyung-jin nim and Yeon-ah nim:*] Come forward. Place your hands here.

Now, please be aware that the three generations in heaven and on earth who represent the authority of the representative and of the inheritor are with us here, and know that I am giving my blessing.

Prayer

Heavenly Father, we welcome the era of a tranquil evening. The era of night, in which the creation may sleep and find rest, has come. Father, people were unaware that when midnight comes, following the early evening, the shining hope of tomorrow that is the True Parent, the True Teacher, and the True King, the representative of the kingship of hope, and the authority of the inheritor of that kingship, is here.

Nothing will remain for the Unification Church. Everything from the days gone by shall pass. What we should live for now is having our families carry on the foundation of a family of joy, which was not established in Eden centering on God and True Parents. We know that this responsibility remains not with God or True Parents but with us.

Know that they have inherited all the foundations enabling the conditions of indemnity to be laid, inherited the authority of the representative and inheritor whom True Parents established with all their strength and inherited True Parents' altar of victory, which allows them to become—without blemish—owners, as individuals, in front of the Republic of Korea, owners of a blessed family, and owners in the position of teachers who can govern a nation.

In order to dissolve the traces of the shadow of the Fall from babies that will be born from the womb, a time of the mother and father must be ushered in when God can pray for, protect and raise them with greater devotion from the time of caring for the unborn child in the womb more than we have, more than any parent on earth has. Let this couple be the son and daughter who should undergo labor pains while embracing this world again and who can carry on in the way of loyalty and filial piety with the intention of inheriting the realm of inheritance of True Parents' liberation and inner emancipation.

Hyung-jin Moon and Yeon-ah Lee, these two, this son and daughter, a couple, are standing in front of the True Parents. At this time of transition today, this occasion is one where they can inherit authority as the representatives and inheritors who can attend to everything on behalf of True Parents. Therefore, let that realm of heart, which You were unable to experience, of blessing the son and daughter that did not Fall in Eden, be carried on again in the era of the ideal heaven of the fourth Adam and all the way to that era where we can enter a time where we can assert ourselves in liberation and complete inner freedom and govern everything centering on God. This, Father, I fervently pray.

True Parents know that it will not be easy for these two, this son and daughter, to convey the authority they inherit and hold on True Parents' behalf. At the end of this life, with little to remain, let these two offer all they can to become a representative point that can teach the people of all nations about the path they should take from this time on. I pray that you will let Hyung-jin's family show each family what it means to be a pivotal point that inherits from True Parents—from the time of infancy and beyond the infinite years in life, so that they can inherit the kingship of the victory of the representative who is unchanging in mind and body, and the kingdom of heaven in which God can exert His autonomous right of victory, and—as the sons and daughters of that liberated and internally emancipated heaven—that they can personally embrace and love those children who grow up in that kingdom.

In terms of three generations, True Parents, the mother and father, and the Unification Church should be connected in one heart centering on this little child called Shin-joon. Everything that is related should begin from this child, and in going beyond the pass of the realm of the heart of the fourth Adam in the new age, in going beyond that critical point, which is heavy with the responsibility of the parents, the nations and God of this world, I sincerely wish that You let the parents offer protection and become a protective fence so as to make this free environment into a welcoming garden of liberated freedom and peace that can carry on the inherited authority.

The spirit world was divided into Cain and Abel. Heung-jin, the younger brother, together with True Parents, has asserted himself to this day in giving form to that counterpart world. Those who were placed in unknown environments in the realm of our ancestors were beyond Heung-jin's governance.

Korea, Japan and the U.S. are considered regions in FFWPU administration; Hyung-jin nim is now the International President of FFWPU and the Regional President of Korea.

Hyo-jin goes there in the position of the elder brother and with the title of the lord who opens the gate to loyalty and filial piety in the garden that opens the way to the deepest, highest realms of heaven. Through his going there, he will acquire all the internal and external aspects of True Parents, and go to the heavenly world. Heung-jin, who was in a position of being unable to govern, will become one with his elder brother to create a realm of unity and expedite the return of the spirits to earth. Let the spirit world and physical world become one on top of all these developments, geared toward the era of the restoration of the homeland, and with the lord of the love of the liberation of harmonizing oneness, be allowed to surmount this hill.

Let God come together with them to the earth and be free to put Himself forward; let True Parents' glory be revealed and the future glory of the True Children be exposed in its fullness. Let the preparations be made and the required period shortened and hastened to allow God to become the owner, the king of kings, who can reign as the king who is the Lord with all-pervasive, all-encompassing, full authority.

This True Parents fervently, fervently, fervently hope and pray and report to You. Let the future of this couple, this son and daughter, be entrusted to You and placed under Your guidance. Aju! [Aju!] Aju! [Aju!] Aju! [Aju!]

Let them become a couple and family that can establish the kingships of the Old Testament Age, New Testament Age, Completed Testament Age, and of the world that is the realm of the heart of the fourth Adam. Aju! [Aju!] [Applause]

Father resumes speaking

Work hard. This is now completed.

For you now to live in the ideal world of the heart of the fourth Adam, you must completely settle your right of possession. In order to cross over that mountain, you must understand that Adam had no right of ownership in Eden. Do you understand? You should not have your own right of ownership. From now I hope that you comply with this through your actions.

I do not have a single penny left of the emergency funds accumulated until now for our work. If I had money, I would have distributed it all to the world. I gave away all the items that I had that preserved the memories of my life. I have nothing. The world of liberation and inner emancipation of the heart of the fourth Adam is found in a place where you have nothing.

Even if the Republic of Korea is liberated, there still will be a prison. Only when you are connected to the place wherein lies the central root of God's heart, which that is more than sufficient to establish the standard of the constitution, can we create a world of heart in which everything is liberated and completely free. That is what we must do. Do you understand? [Yes.]

The blessed families must take up this task today and carry it with them. It is the families. Do you understand? Say family. [Family!] The family of the Old Testament Age! [Family!] The family of the New Testament Age! [Family!] The family of the Completed Testament Age! [Family!] The family of the world of the heart of the fourth Adam! [Family!] You must go as far as that position.

In order to do this, you must not have the right of possession, or any symbol, image or substantial object in front of you. It must all belong to True Parents. Once it belongs to True Parents, it belongs to the true elder brother, it belongs to True Parents, and it belongs to the True God. You must go to that place that can transcend the position of the true parent, true teacher, and true king of the liberated heaven. How great is that?! This is not a fantasy.

As you who must take up this responsibility today, make your preparations, do prepare well, just as a person who aspires to take up a doctorate course would prepare from elementary school. I ask you to become blessed descendants that can be with me anywhere on the mountain I am crossing. Do you understand?

Say it: "Resolving the right of inheritance." [The right of inheritance!] You will be snagged if you have any inheritance. When it becomes evening and nighttime you should align yourself vertically so that there is no shadow. Know that the final goal of the blessing remains and awaits you—that you establish a horizontal and vertical world of the liberated heaven that casts no shadow as the original sunlight of heaven that knows not the fall, and radiates even in the middle of the night. Make haste in going up this path. You should have the resolve to go forward with the intention of investing everything—your personal belongings, those of your clan, nation and world—even if it means learning or creating something so that it can be invested.

These two, this couple, who have just been appointed with this conviction! It is an era of opening doors. He is thirty years old. Jesus was thirty; I fought during my thirties in Pyongyang in order to hold the religious world in my hands. I was unable to take my family. If my family had been with me at that time, it would have been so difficult. As the family was not united at that time, I had to leave my father and mother's hometown, give up the circumstances of being able to live with my beloved wife[2] and forge a path, which was filled with tribulations. I am now in the eighty-ninth year of my life, but that is connected to this morning where we can step beyond the number eight of the third stage. I pray you can be people who can assimilate the blessed world. I sincerely hope you become a representative, a proxy, who can inherit the blessings that can be absorbed and still have something left to give.

If you welcome this with that kind of heart, raise both hands with an accepting and embracing heart, and pledge in front of heaven. [Applause] I fervently beseech God that Heaven's blessings be with all nations. Aju! [Aju!]

[Rev. Yoo Chong-gwan led three cheers of eog mansei, to which Father added a fourth:]

For becoming the owner of the liberated realm of the heart of the fourth Adam, eog mansei! [eog mansei!] TW

True Parents pray for Hyung-jin nim and Yeon-ah nim during the inauguration, April 18

2 Choi Sun-gil, Father's first wife, and mother of Sung-jin nim

Deutsche übersetzung

Vereinfachte deutsche Übersetzung der Ansprache von SMM aus dem Jahr 2008 und 2009 Einweihung des internationalen Präsidenten und des Präsidenten von Korea Werde ein Erbe.

Denkt an diesen schönen jungen Mann und Frau, die hier stehen, Korea repräsentieren, die Welt und außerdem den Kosmos, glaube ich, ihr könnt stolz auf sie sein. Sie werden die Säulen unseres Hauses in Zukunft werden. Es ist meine Hoffnung und mein Wunsch, dass der pflichtbewußte Weg von treuen Kindern, Patrioten, Heiligen und göttlichen Söhnen und Töchtern in Bezug auf sie erfüllt wird. Mit dieser Hoffnung und diesem Wunsch, Ich, als Eltern, schaue ich auf sie mit einem Herzen voller Erwartung, das Eures übertrifft.
So hoffe ich, dass ihr leidenschaftlich und ernsthaft dieses Vorhaben unterstützt, damit dies rasch erfüllt wird. Amen!
Ein Segnungsgebet soll nicht nur einfach aus Wörtern bestehen. Mit diesem Segnungsgebet ist die Form, die Substanz und der zentrale Kern der drei Zeitalter- dem Alten, dem Neuen und dem erfüllten Testamentzeitalter, welche die Gestaltung, das Wachstum und die Vollendung repräsentieren; all diese sind verbunden, zusammen gebracht, bezogen auf der Bais dieses Gebets. Ob, oder wann diese Beziehung hergestellt ist, werdet ihr wissen, wenn ihr den Bereich eures idealen Liebespartner umarmen und verdauen könnt. Ich lasse euch wissen, sobald ihr solche Menschen werdet, werdet ihr solche historische Repräsentanten, die alles was sie machen zum Erfolg führen.
Daher möchten die Wahren Eltern alles übermitteln; aber das erste was wir übemitteln wollen ist das Wort, das historische Wort, das Wort das die Wahren Eltern am meisten lieben, das Wort das Gott sich erwünscht, welches durch die Wahren Eltern gegeben wurde. Das sind nicht nur einfache Worte um ihrer selbst Willen; diese sind vom Kern der Welt hergeleitet, von ihrer Substanz, und erreichen den Bereich ihres Gegenstückes, welches die äußere Form hat. Ich werde das Wort weitergeben, das ausdrucksvolle Wort aus Gottes Hoffnung, und das Wort das die Wahren Eltern praktiziert haben, ausgerichtet auf den Standard jener Hoffnung, dass ihr die Repräsentanten des Wortes werdet. Wenn ihr der Besitzer des Wortes werdet, und nicht nur den Text liest, sondern euch an den tiefen Inhalt heran nähert, werdet ihr die folgenden Worte entdecken.
„ Den Sieg über den Groll erringen“ Wenn ihr nach Amerika geht, und das erste Tor im East Garden sieht, dann werdet ihr die Inschrift sehen: „Den Sieg über den Groll errin-

gen" Welch bitteren Schmerz werdet ihr frei geben? Es ist der bittere Schmerz des Kosmos von Himmel und Erde. Ihr müsst den bitteren Schmerz in der Wurzel, im Stamm überwinden, die Resentiments aus drei Epochen, dem Alten-dem Neuen-und dem Erfüllten Testamentzeitalter. Später müsst ihr über den bitteren Schmerz hinausgehen, in den Bereich des Herzens des vierten Adam. Mitglieder der VK haben mich natürlich begleitet und sind mir den Weg gefolgt, der ihnen erlaubt mit mir eins zu werden. Jedoch sie müssen den Hügel überwinden, der den Bereich des Hezens des vierten Adam mit mir zusammen darstellt. Ich habe nicht mehr viel Zeit übrig, um das mit euch zu tun. In dem Hügel des Herzens des vierten Adam, dem ihr euch ergeben und für immer unterwerfen sollt, liegt das Fundament das ihr legt, um Hoffnung und Erfolg bei allem was ihr macht zu verwirklichen. Dies erlaubt euch ein Repräsentant und Erbe zu werden, ausgerichtet nicht nur auf mich, sonder auch auf Gott während ihr in diesem Bereich lebt. Dies soll die Vorraussetzung sein, diesen Hügel substanziell zu überwinden. Die Welt in der ihr für immer zusammen leben sollt, ist die Welt des Bereichs des Herzens des vierten Adam. Die Hoffnung die Gott für Adam und Eva im Garten Eden hatte; alles was Gott in seinem Herzen schätzte, seine Wünsche für seinen Sohn und seine Tochter, die er sich für seinen Sohn und seine Tochter erhofft hat, seine Repräsentanten und Erben zu werden, war durch den Fall verloren gegangen. Folglich ist eine falsche Abstammung aufgetaucht. Eine Welt mit falschem Charakter wurde geschaffen. Es entstand eine Welt deren Substanz falsch war. Gott wurde ein König der nirgendwo bleiben konnte; leben oder weiter bestehen, das ist die Wahrheit. Dieser König war eigentlich unser himmlischer Vater. Während er seine Hoffnung der Liebe gehegt hat, das Seil, welches ihn mit seinen Kindern verbunden hat, wurde zerissen als sie 16 Jahre alt waren. Gott konnte es nicht wieder verbinden. Das war nicht etwas was er tun konnte. Nichts blieb von seinem Schöpfungsideal übrig. Die Person die das wieder verbindet ist die Wahren Eltern. Die (Menschheit) verließ die Wahren Eltern und die Welt wurde so wie sie ist. Daher, um Gott von seiner Bitterkeit und seinen Sorgen zu befreien, müssen die Wahren Eltern kommen, um dies zu lösen. Sonst kann Gott niemals befreit werden. Ihr müsst euch das bewußt werden, was da geschehen ist. Die Wahren Eltern ist nicht ein vorübergehender Gast, ein vorübergehender Freund, ein vorübergehender Lehrer, vorübergehende Eltern, auch nicht nur eine sehr spezielle Person. Er entdeckte Gott den Vater und großen Meister des lieblichen und wertvollen Himmel und der Erde. Er entdeckte Gott den Besitzer, Gott den Lehrer, und Gott als Eltern, den keiner dieser Leute fähig war, kennen zu lernen. Durch dieses Wissen etablierte er eine Beziehung mit dem großen Universum, durch das die Welt des Bereichs des Herzens des vierten

Adam sich unendlich ausdehnen kann, um Gott von seinen Sorgen zu befreien, und er für immer in Glückseligkeit in unseren Häusern wohnen kann. Wenn Gott sich in einer Position befindet, wo er nicht mehr vertrieben werden kann, wird er in seinem Geist bestimmen, dass er leben möchte. Daher, auch wenn hingebungsvolle Söhne, Patrioten und die großen Königinnen unter den Heiligen zu einer höheren Position über zehntausende von Generationen sich erheben, können sie weiter gehen in Richtung eines Zustandes des Friedens, wo sie ihr idealer Heimatort erwartet. Wenn ihr wisst, dass solch ein Heimatort euch erwartet, werdet ihr danach trachten, über den Bereich des Herzens des vierten Adam zu gehen, mit der schicksalhaften Aufgabe, dies zu erfüllen. Euer Leben bis jetzt ist nicht das Problem, ihr müsst jetzt in dieser Position stehen, dieser zentralen Position, wo ihr euch mit der geistigen Welt verbinden und harmonisieren könnt. Zu dieser Zeit, jene Vorfahren, denen es nicht möglich war, mit mir in diese Welt einzutreten, die Vorfahren, die vor uns gegangen sind, sollten nochmals zur Erde zurück kommen, um für sieben Jahre Training zu erhalten. Wenn ihr auch dieses Prinzip begreift, dann werdet ihr verstehen, dass ihr durch eine sieben Jahre Periode voller Schwierigkeiten, eine sieben Jahre Periode der Wiedergutmachung, und eine sieben Jahre Periode der Sühne und Befreiung am Ende eurer verbleibenden Zeit auf der Erde durchgehen müsst. Andererseits werden wir nicht fähig sein, die gleiche Luft in der Welt des ursprünglichen Zustandes zu atmen.
Ihr könnt Repräsentanten und Prinzen der Welt des transzendenten Bereichs des Herzens des vierten Adams werden, welches Gott als den idealen Heimatort sieht. Sehnsüchtig erwartend hoffen alle Dinge der Schöpfung, dass ihr Menschen werdet, die wie eine leuchtende Sonne, Mond, Sterne und die geistige Welt erhellen können. Gott und seine Schöpfung schaut mit diesem liebenden Herzen auf uns.
Wenn ihr mit mir in die himmlische Welt eintritt, erwartet euch eine Welt die mit größerer Hoffnung erfüllt ist, als jene aller anderer geschaffenen Wesen. Solch eine Welt erwartet euch. Wenn ihr diese Hoffnung im Einklang mit dieser Welt nicht erfüllt, bleibt euch die Hoffnung, die Aufgabe die euch bestimmt ist in Erfüllung zu bringen. Ich hoffe, ihr werdet das nicht vergessen. Deshalb habe ich diesen Sohn und diese Tochter in unserem Namen zugewiesen, und ich möchte ihnen als Grundlage das Wort übergeben. Zur selben Zeit möchte ich ihnen in Erinnerung rufen, was getan werden soll, damit sie in die himmlische Welt gehen können, und die zweiten Personen der Glückseligkeit, befreite Wesen und ein Prinz und eine Prinzessin der Befreiung und des vollkommenen inneren Frieden werden. Um so zu werden, müsst ihr den Bereich des Herzens des vierten Adam kennen, dort ist eine Welt des zweiten Erbes, der Weg eines Repräsentan-

ten der Söhne und Töchter die die Welt erben können, welche niemand kennt oder erfüllt hat. Diese Welt ist vorübergehend. Sie vergeht. Welche Beziehungen könnt ihr mit dieser vergänglichen Welt errichten? Die Eltern, die ihr in dieser Welt trefft, die Lehrer, mit denen ihr in dieser Welt verbunden seit, das Königreich und alles andere wird verschwinden. Zögert nicht, wenn ihr diese Welt verlässt.
Überwindet den letzten Hügel den der Himmel von euch verlangt. Werdet der Vertreter des Sieges, der Erbe des Sieges und erbt die Schlüsselposition der Wurzel des Herzens des vierten Adams. Von dort müsst ihr in die Welt des Herzens der dritten Befreiung gehen, wo ihr dem Himmel aufwarten und dienen könnt. Auch die Wahren Eltern gehen diesen Weg. Trotzdem müsst ihr wissen, dass ein Weg lange bleibt, und mit Kraft Grenzen zwischen dem zweiten Kain und dem zweiten Abel überwunden werden müssen, welche für die Welt des Herzens vorbereitet werden. Versteht ihr?
Zu diesem Anlass gebe ich das Wort und auch das substanzielle Reich, das die Wahren Eltern praktizierten. Das Wort ist wertvoll, die Realität der Wahren Eltern ist ebenso wertvoll. Ich bitte euch, habt die Überzeugung, dass ihr Repräsentanten, Prinzen und Prinzessinnen und Erben werdet, die die Hügel des Herzens übersteigen, welche Gottes Realität sind. Versteht Ihr?
In diesem Lichte übermittle ich das Wort an Euch. Ich muss mit meinem Sohn und mit meiner Tochter kommunizieren, damit sie eins mit dem Wort werden.
(Er sagt zu Hyung Jin Nim und Jeon Ah Nim)
Kommt her, legt eure Hände hier her: Nun, seid euch bitte bewußt, dass die drei Generationen im Himmel und auf Erden, welche die Autorität des Repräsentanten und des Erben darstellen, hier mit uns sind. Und nun gebe ich meinen Segen. Gebet Himmlischer Vater, wir begrüßen die Epoche des ruhigen Abend. Die Epoche der Nacht in welcher die Schöpfung Schlaf und Ruhe finden möge, ist gekommen. Vater, Menschen waren sich dessen nicht bewußt, wenn Mitternacht kommt, folgend der frühe Morgen, die strahlende Hoffnung des Morgens, das ist die Wahren Eltern, der Wahre Lehrer und der Wahre König, der Repräsentant der Königschaft der Hoffnung und die Autorität des Erben dieser Königschaft ist hier. Nichts wird von der VK übrigbleiben.
Alles aus diesen Tagen wird vergehen. Wie wir von nun an leben sollen, ist das Fundament unserer Familien, mit Freude weiterzutragen, was im Garten Eden nicht auf Gott und die Wahren Eltern ausgerichtet etabliert wurde. Wir wissen, dass diese Verantwortung nicht bei Gott oder den Wahren Eltern liegt, sondern bei uns.
Wissend dass sie alle Fundamente geerbt haben, die sie befähigen, die Bedingungen der Wiedrgutmachung zu legen, erbten sie die Autorität des Repräsentanten und Erben,

den die Wahren Eltern mit all ihrer Anstrengung errichtet haben. Der Altar des Sieges, von den Wahren Eltern errichtet, erlaubt ihnen ohne Makel, Eigentümer als Einzelperson, vor der Republik Korea, Eigentümer einer gesegneten Familie und Eigentümer in der Position von Lehrern zu sein, welche die Nation führen können.

Um die Spur des Schattens vom Fall aufzulösen, von Babys, welche aus dem Mutterschoß geboren werden, muss eine Zeit für den Vater und die Mutter eingeleutet werden, wo Gott dafür beten kann, mit größerer Hingabe zu schützen und zu erziehen, mehr als jedes Elternpaar auf der Welt es tun kann, von der Zeit an, wo das ungeborene Baby im Mutterleib heranwächst. Lass dieses Paar, diesen Sohn, diese Tochter, die sich schmerzvoller Arbeit unterziehen, während sie die Welt abermals umarmen, und den Weg der Loyalität und Pietät weitertragen, mit der Intension, den Bereich des Erbes der Wahren Eltern zu erben und mit innerer Emanuipation zu befreien.

Hyung Jin Moon und Yeon Ah Lee, diese beiden, dieser Sohn und diese Tochter, dieses Paar steht vor den Wahren Eltern. In dieser Zeit des Übergangs, heute, diese Gelegenheit ist jene, wo sie die Autorität als Repäsentanten und Erben der Wahren Eltern alles an ihrer Stelle bedienen und durchführen können.

Lass daher den Bereich des Herzens, welchen du, himmlischer Vater, nicht erleben konntest, öffnen; segne diesen Sohn und diese Tochter, welche in Eden nicht gefallen sind, und lass in der Epoche des idealen Himmels des vierten Adam, den Segen von ihnen weitertragen. Sowie den weiteren Weg zu jener Epoche, wo wir in eine Zeit eintreten, in der wir uns in Freiheit und vollkommenen inneren Frieden behaupten, und alles auf Gott ausgerichtet regieren können.

Das Vater, bete ich inbrünstig. Die Wahren Eltern wissen, dass es nicht leicht wird für die Zwei, diesen Sohn, diese Tochter, die Autorität, die sie von den Wahren Eltern erhielten und erbten, an ihrer Stelle weiter zu tragen. Am Ende dieses Lebens, von dem nicht mehr viel übrig bleibt, lass diesen beiden alles opfern was sie können, um ein repräsetatives Zentrum zu werden, und die Menschen aller Nationen lehren können, welchen Weg sie von nun an gehen sollen. Ich bete, dass du durch Hyung Jin`s Familie, jeder Familie zeigen kannst, was es bedeutet, die Schlüsselstelle zu sein, die von den Wahren Eltern ausgeht; von Kindheit angefangen, bis zu
unendlichen Jahren im Leben, damit sie das Königreich des Sieges, des Repräsentanten, welcher mit Geist und Körper unveränderlich ist, und das Königreich des Himmels, wo Gott sein autonomes Recht des Sieges ausüben kann; sowie als Söhne und Töchter des befreiten und innerlich ungebundenen Himmel, wo sie persönlich alle Kinder die in diesem Königreich aufwachsen umarmen können.

Bezüglich der drei Generationen, die Wahren Eltern, die Mutter und der Vater und die VK soll mit einem Herzen verbunden sein, ausgerichtet auf dieses kleine Kind mit dem Namen Shin Joon. Alles was verbunden ist, soll mit diesem Kind beginnen, und in diesem Zeitalter über den Pass des Herzens des vierten Adam gehend, über diesen kritischen Punkt gehend, der schwierig ist, und mit der Verantwortung der Eltern, den Nationen und Gott in dieser Welt zu gehen, wünsche ich mir ernsthaft, dass die Eltern
Schutz gewähren und einen schützenden Zaun bilden, um diese freie Umgebung zu einem vollkommenen Garten des befreiten Friedens und der vererbten Aurotität zu machen. Die geistige Welt war in Kain und Abel geteilt. Heung-Jin, der jüngere Bruder, hat sich mit den Wahren Eltern bis zum heutigen Tag durchgesetzt, um der geistigen Welt Form zu geben. Jene die sich in unbekannten Gegenden im Bereich unserer Vorfahren befinden, waren jenseits Heung Jin`s Führung.
Hyo-Jin geht dort hin in der Position des älteren Bruders, mit dem Titel des Herrn, der das Tor zu Loyalität und Pietät im Garten der tiefsten und höchsten Bereiche des Himmels eröffnet. Durch seinen Weg dorthin, wird er alle innerlichen und äußerlichen Aspekte der Wahren Eltern erwerben und in die himmlische Welt eingehen. Heung Jin, der nicht in der Position war zu regieren, wird mit seinem älteren Bruder eins werden, um den Bereich der Einheit und das Zurückkommen der Geistmenschen zur Erde zu
beschleunigen. Lasst uns an der Spitze dieser Entwicklungen die Einheit zwischen geistiger und physischer Welt, in der Epoche der Wiederherstellung des Heimatlandes gerüstet sein. Mit dem Herrn der Liebe, der Freiheit und Harmonie, sei es uns erlaubt, diesen Hügel zu überwinden. Lasst Gott mit denen zusammen auf die Erde kommen, und die Herrlichkeit der Wahren Eltern offenbaren, und die zukünftige Herrlichkeit der Wahren Kinder in seiner ganzen Fülle offenbaren. Lasst uns die Vorbereitungen treffen, um diese Periode zu verkürzen, und eilen wir voran, um Gott zu erlauben, dass er als der Eigentümer, der König aller Könige, welcher als König und Herr in seiner allgegenwärtigen, allumfassenden, vollkommenen Autorität regieren kann.
Das beten die Wahren Eltern inbrünstig, und hoffen und beten und berichten das zu Dir. Lass die Zukunft dieses Paares, dieses Sohnes, dieser Tochter, Dir unter Deiner Führung anvertaut sein. Amen, Amen, Amen!
Vater setzt seine Ansprache fort: Arbeitet hart. Das ist nun erfüllt: Für euch, die ihr in der idealen Welt des Herzens des vierten Adam lebt, müsst vollständig das Recht des Besitzers erlangen. Um diesen Berg zu überqueren, müsst ihr verstehen, dass Adam kein Recht auf Eigentum in Eden hatte. Versteht ihr? Ihr sollt nicht euer eigenes Recht auf Eigentum haben. Von nun an hoffe ich, dass ihr dies durch eure Aktionen einhält.

Ich habe keinen einzigen Cent von unserem gesammelten Notstandsfond für unsere Arbeit zurückgelassen. Wenn ich Geld hätte, hätte ich es über die ganze Welt verteilt. Ich gab alle Objekte die Erinnerungen meines Lebens bewahrten weg. Ich habe nichts. Die Welt der Freiheit und innerer Emantipation des Herzens des vierten Adam, findet ihr an einem Platz, wo ihr nichts habt. Auch wenn die Republik von Korea befreit ist, wird es immer noch ein Gefängnis geben. Nur wenn ihr mit jenem Platz verbunden seit, wo die zentrale Wurzel von Gottes Herz ruht, welches über den Standard zur Errichtung der Verfassung hinaus reicht, können wir eine Welt des Herzens, wo alles befreit und vollkommen frei ist errichten. Das ist es was wir tun müssen. Versteht ihr? Die gesegneten Familien müssen diese Aufgabe übernehmen und weitertragen. Es sind die Familien. Versteht ihr? Sagt Familie!! Die Familie des alten Testament-die Familie des neuen Testament-die Familie des erfüllten Testamentzeitalters! Die Familie der Welt des Herzens des vierten Adam.
Ihr müsst bis zu dieser Position gehen. Um das zu tun, müsst ihr nicht das Recht auf Besitz, oder irgend ein Symbol, Bilder oder substanzielle Objekte vor euch haben. Alles muss zu den Wahren Eltern gehören.
Sobald es zu den Wahren Eltern gehört, gehört es zum älteren Wahren Bruder, es gehört zu den Wahren Eltern und es gehört dem Wahren Gott. Ihr müsst zu dem Platz gehen, der die Position der Wahren Eltern, des Wahren Lehrers und Wahren Königs des befreiten Himmel transzendieren kann. Wie großartig ist das. Das ist keine Fantasy.
Ihr, die diese Verantwortung heute übernehmen müsst, macht eure Vorbereitungen, bereitet euch gut vor; wie eine Person, die von der Grundschule aus ein Doktoratstudium anstrebt. Ich bitte euch, gesegnete Nachkommen zu werden, die mit mir überall in den Bergen sein können, die ich überquere. Versteht ihr? Sagt es! Lösung des Rechts auf Erbe. (Das Recht auf Erbe) Ihr werdet verfangen sein, wenn ihr irgend ein Erbe habt.
Wenn es Abend und Nacht wird, sollt ihr euch vertikal ausrichten, sodass ihr keinen Schatten werft. Ihr wisst, das letzte Ziel eurer Segnung bleibt und erwartet euch; dass ihr eine horizontale und eine vertikale Welt des befreiten Himmels errichtet, die keinen Schatten vom ursprünglichen Sonnenlicht des Himmels wirft, den Fall nicht kennt, und sogar um Mitternacht strahlt. Beeilt euch auf diesem Weg. Ihr sollt die Lösung mit der Intension haben, alles zu investieren, eure persönlichen Güter, jene eures Stammes, Nation und Welt, auch wenn es bedeutet, etwas Neues zu schaffen, das wieder investiert werden kann. Diese Zwei, dieses Paar, sind gerade mit dieser Überzeugung ernannt worden. Es ist eine Epoche der geöffneten Tore. Hyung Jin ist dreißig Jahre alt. Jesus war dreißig, ich kämpfte während meiner dreißiger Jahre in Pyongyang um die religiöse

Welt in meiner Hand zu halten. Es war mir nicht möglich, meine Familie mit mir mitzunehmen. Wenn meine Familie zu dieser Zeit mit mir gewesen wäre, so wäre das sehr schwierig gewesen. Da die Familie zu dieser Zeit nicht vereint war, musste ich den Heimatort meines Vaters und meiner Mutter verlassen. Auf Grund dieser Umstände war es mir nicht möglich, mit meiner geliebten Frau* zusammen zu leben, und schmiedete einen Weg, der mit Schwierigkeiten gefüllt war. Ich bin nun im neunundachzigsten Jahr meines Lebens, aber dieses ist mit diesen Morgen verbunden, wo wir über die Nummer acht der dritten Stufe hinaus gehen können.. Ich bete, dass ihr Menschen sein könnt, die diese gesegnete Welt assimilieren. Ich hoffe ernstlich, dass ihr Repräsentanten werdet, die den Segen ererben, ihn aufsaugen und immer wieder etwas zum Geben haben. Wenn ihr mit diesem Herzen dieses willkommen heißt, hebt eure Hände mit einem annehmenden und umarmenden Herzen und gelobt dies vor dem Himmel.
Ich bitte Gott inbrünstig, damit der himmlische Segen über alle Nationen kommen möge. Amen, Amen!
Werdet der Eigentümer des befreiten Bereichs des Herzens des vierten Adam.

* Choi-Sun-gil, Vaters erste Frau und Mutter von Sung-jin-nim

FATHER'S BLESSING PRAYERS OVER HYUNG-JIN NIM AND YEON-AH NIM

January 15, 2009 Coronation at Cheon Jeong Gung in Korea

On the occasion of the coronation that firmly establishes the realm of the Sabbath of the Cosmic Parent and the Parents of Heaven and Earth, we hereby bequeath True Parents' blessing. Aju.

January 31 Coronation at Cheon Jeong Gung in Korea

Based on the authority of the unity between this couple and God who moves heaven and earth, may God's unlimited blessing be with the advancement of their victory. We bless you. Aju.

January 31 Coronation at the Manhattan Center in New York

At this coronation of God, which is spurring progress toward the unification of heaven and earth, we declare before God and in the name of True Parents that through these two beloved children becoming (in the actual arena of life) one with the word that we have prepared in order to establish the tradition for them, they will become a husband and wife who can serve as an example before all people and before heaven and earth, become a true couple whom the generations to come will cherish and become the embodiments of the representative word that is establishing the tradition of the people of the world who are receiving the new blessing. Aju. Aju. Aju!

HYUNG-JIN NIM SPEAKS ABOUT EMPOWERMENT

Hyung-jin nim recently shared the following thoughts with Today's World *and asked that we include them here.*

Father may have placed a crown on my head, but it doesn't change who I am. We are determined to keep the exact same pattern in our life. Our *jeongseong* doesn't change. I only felt this meant I had to be *more* serious in my monastic training.

We have to give away the power we have. I tell the church ministers not to hold onto power. If you do, you will become poisoned without knowing it. If you are a leader, give away your power, and entrust ownership in others. If we are not empowered to be owners, we cannot witness.

We tell the church ministers to give away their power so that they can focus on giving out God's goodness and power. We all need to lead like this, learning how to empower other leaders. Then we can discuss and wrestle with problems together. But we shouldn't give power to just anyone; some people are not ready for it.

Therefore, if you empower a group to elect the best person for a specific task, giving those who are chosen the support they need to succeed is a very important part of empowering others. Through sharing in the process and struggle to develop, leaders become mature. As Kook-jin nim would say, they become part of a family. TW

Deutsche Übersetzung:

15. Jänner 2009 Krönung im Cheon Jeong Gung in Korea.

Anlässlich der Krönung die entgültig den Bereich des Sabbats der kosmischen Eltern, und der Eltern von Himmel und Erde etabliert, übergeben wir hiermit den Segen der Wahren Eltern. Aju, Amen.
31. Jänner 2009 Krönung im Cheon Jeong Gung in Korea.
Basierend auf der Autorität und Einheit zwischen diesem Ehepaar und Gott, welcher Himmel und Erde bewegt, möge Gottes grenzenloser Segen auf dem Weg ihres fortschreitenden Sieges sein. Wir segnen Euch. Amen.
31. Jänner 2009 Krönung im Manhatten Center in New York.
Zu dieser Krönung Gottes, welche die Entwicklung zur Vereinigung von Himmel und Erde anspornt, erklären wir vor Gott und im Namen der Wahren Eltern, dass durch diese zwei geliebten Kinder (in der aktuellen Arena des Lebens) sie eins werden mit dem Wort welches wir vorbereitet haben, und die Tradition die wir errichtet haben, damit sie ein Ehemann und eine Ehefrau werden, die als Vorbild vor allen Menschen und vor dem Himmel und der Erde dienen. Werdet ein Wahres Ehepaar, welches die zukünftigen Generationen hegen und pflegen, um ebenso Verkörperungen des repräsentativen Wortes zu werden. Möge dadurch die Tradition der Menschen auf der Welt die die neue Segnung empfangen, errichten werden. Aju. Aju. Aju! Amen, Amen, Amen!

Hyung Jin Nim spricht über Ermächtigung
Hyung Jin Nim hat unlängst folgende Gedanken mit dem Today`s World Magazin geteilt, und gebeten sie hier einzubinden. Vater mag die Krone auf mein Haupt gesetzt haben, aber das ändert nichts wer ich bin. Wir sind entschlossen, genau das gleiche Muster in unserem Leben aufrecht zu erhalten. Unsere Hingabe ändert sich nicht. Ich fühle nur, dass es bedeutet, dass ich noch ernsthafter an meinem klösterlichen Training arbeiten soll. Wir müssen die Macht die wir haben von uns weggeben. Ich sage den Kirchenleitern, nicht an der Macht festzuhalten. Wenn ihr es macht, werdet ihr vergiftet ohne dass ihr es merkt. Wenn du ein Leiter bist, lass deine Macht los und betraue andere über das Eigentumsrecht. Wenn wir nicht ermächtigt sind, Besitzer zu sein, können wir nicht Zeugnis ablegen. Wir erzählen den Geistlichen ihre Macht wegzugeben, damit sie sich auf das Geben von Gottes Güte und Macht konzentrieren können. Wir alle müssen in dieser Art führen, und lernen wie wir andere Leiter dazu ermächtigen können.

Dann können wir diskutieren und darum ringen, Probleme zusammen zu lösen. Aber wir sollten Macht nicht irgend jemanden geben, manche Leute sind dafür nicht bereit. Daher, wenn ihr eine Gruppe ermächtigt, die beste Person für eine spezielle Aufgabe zu wählen, gebt diesen Personen, welche gewählt wurden, die notwendige Unterstützung. Dies ist ein sehr wichtiger Bestandteil für die Ermächtigung anderer Personen. Durch Teilhaben am Prozess, untereinander abmühen und sich weiter entwickeln, werden Leiter erwachsen. So wie Kook Jin Nim sagen würde, sie werden Teil einer Familie.

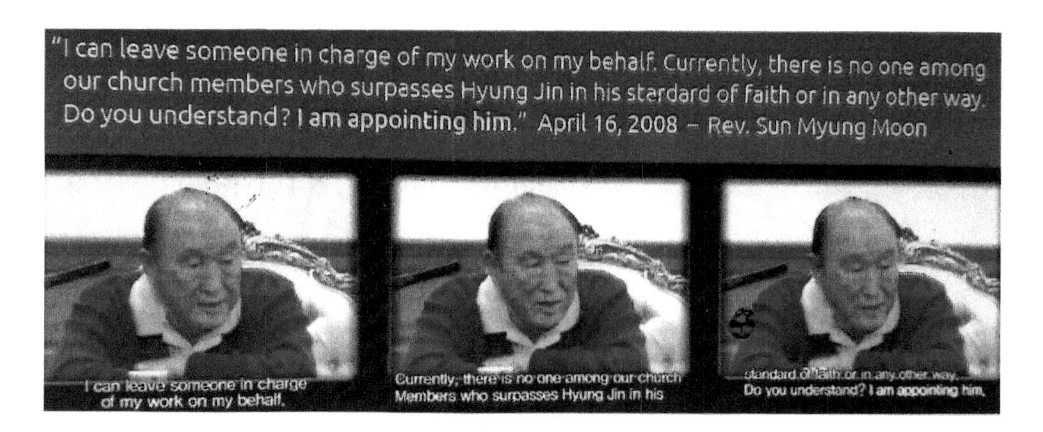

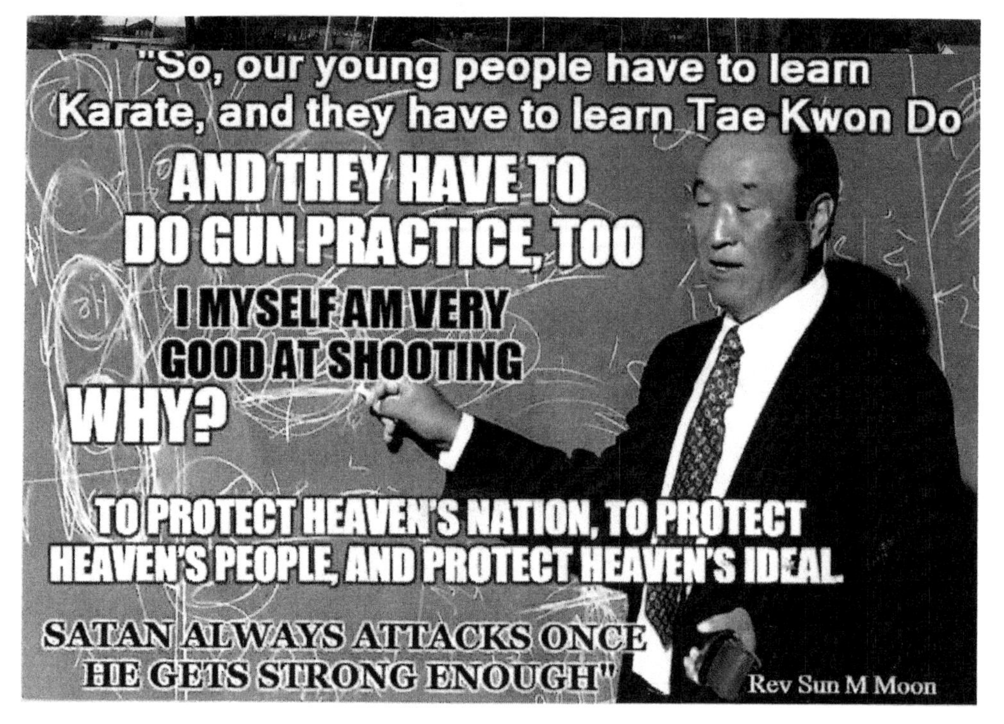

Sun Myung Moon auf der Jagd Warum brauchen wir Selbstverteidigung und Waffen.
Sun Myung Moon bestellt seinen jüngsten Sohn Hyung Jin Nim als Nachfolger und Erbe.

Worte von Hak Ja Han

Above: True Mother holding the heavenly royal scepter with firm authority. *Below:* All that True Mother received representing True Parents' spiritual achievements she placed near True Father's throne.

Am Foundation Day im Februar 2013 riss Hak Ja Han die Macht über die Vereinigungskirche mit eisernen Zepter an sich.

Hyung Jin Nim in der Wildnis von Pensylvania während der Wintermonate. Das junge Königspaar zweiter Generation, Hyung Jin Nim und Yeon Ah Nim, sowie sein Bruder Kook Jin Nim mit seiner Frau Ji-yea Nim.

Unification Sanctuary

2018 Calendar

23. September 2017

Segnung zwischen Himmel und Erde

Rev. Sun Myung Moon, Herr der Wiederkunft, Messias, König aller Könige, wird von seinem Nachfolger und Erbe, Hyung Jin Nim Moon und seiner Frau Yeon Ah Nim in einer himmlischen Zeremonie mit Mrs. Hyun Shil Kang gesegnet.

Am 23. September 2017 – Segnungsfeier zwischen Himmel und Erde. Nachdem Hak Ja Han ihren Mann Sun Myung Moon verlassen und betrogen hatte, wurde Mrs. Hyun Shil Kang mit Sun Myung Moon gesegnet.

Bei der Segnungsfeier am 28. Februar 2018 mit der Etablierung der Rod of Iron Ministries. Ich hatte auch die Möglichkeit wahrgenommen, daran teilzunehmen.
www.rodofironministries.com

Am 6. März 2019 ging Mrs. Hyun Shil Kang hinüber in die geistige Welt.
Nun ist Mrs. Hyun Shil Kang an der Seite ihres Mannes, Sun Myung Moon, dem wiedergekehrten Christus, Messias und König aller Könige, als Wahres Elternpaar und erstes Königspaar unter der Herrschaft Gottes vereinigt. Somit sind die Pforten des Himmels eröffnet.

Eine kurze Zusammenfassung

Der Mensch wurde als Krone der Schöpfung, von Gott auch zum Herrn über das Universum eingesetzt.
Gen. 1, 27
Die ersten Menschlichen Vorfahren wurden ursprünglich aus Gottes innersten Kern und Samen, als Prinz und Prinzessin geboren. Während ihrer Wachstumsperiode konnten sie eine natürliche herzensmäßige Beziehung mit Gott ihrem Vater auf der Basis von Wahrer selbstloser Liebe aufbauen, und so ein lebendiger substanzieller Ausdruck des Wesens Gottes werden. (Abbild Gottes) Auf dieser Basis wollte sie Gott in der Ehesegnung zum König und zur Königin auf der Ebene der Familie erheben, die sich in Folge durch ihre Kinder und Enkelkinder zu einen Stamm erweitert, zu einer Nation wird, und schließlich eine Welt umfasst, in der alle Bürger als Kinder Gottes, als Prinzen und Prinzessinen, mit den gleichen Rechten und Pflichten geboren werden, und ein Leben in Wahrer Liebe auf allen Ebenen leben können. Durch den Fall der ersten menschlichen Vorfahren wurde dies alles zerstört, und eine feindliche Welt entstand.
Nach einer langen Geschichte mit Konflikten auf allen Ebenen, kam Jesus als Messias und König, um das verlorene königliche Himmelreich auf Erden zu errichten.
Der Unglaube des Volkes Israel machte es Jesus unmöglich, das Reich Gottes auf Erden zu vollenden. Er versprach die Wiederkunft. Sun Myung Moon in der Position des wiedergekehrten Christus konnte während seines ganzen Lebens, trotz Verfolgung und Leiden auf allen Ebenen, den Eckstein für das Reich Gottes errichten.
Sein jüngster Sohn Hyung Jin Moon, wurde von Sun Myung Moon als Nachfolger und Erbe, somit als Träger der messianischen reinen Blutslinie eingesetzt. Hyung Jin Moon setzt mit seiner Frau Yeon Ah Nim als zweiter König und Königin und Repäsentant die Arbeit seines Vaters, den Aufbau des Reiches Gottes auf Erden fort.
Alle Menschen sind geladen mitzuarbeiten, am Baum des Lebens teilzuhaben, indem sie ihre Kleider reinwaschen, und zu wahren Kindern Gottes werden, zu Prinzen und Prinzessinnen, zu Königen und Königinnen.
Das ist ein langer Prozess der inneren Reinigung, den wir alle zu gehen haben, um jenes Glück zu finden, das in unserem Herzen verborgen ist, und darauf wartet ans Tageslicht zu kommen. Diese Entwicklung findet in der Familie statt, in der Beziehung zwischen Mann, Frau und Kinder. Dieses kleine Himmelreich ist wie ein Samenkorn, das auch einen Schutz braucht, damit es wachsen und gedeihen kann, und nicht von Unkraut überwuchert wird, oder gar erstickt. *Luk. 8, 4-8* oder wie ein Sauerteig der in einem Trog

Mehl gemischt wird bis das Ganze durchsäuert ist.
Matth. 13,33 Luk. 13, 18-21 Je mehr Menschen am Prozess der eigenen inneren Reinigung mitmachen, um so schneller kann das Reich Gottes auf Erden wachsen.

Persönliche Begegnungen mit Sun Myung Moon

Hier einige persönliche Erfahrungen, die ich durch SMM erlebt habe, welche für mich von gravierender Bedeutung sind; und nicht nur während meines Erdenlebens, sondern auch im Leben danach.
Das Kennenlernen des göttlichen Prinzips im Jahr 1974, war für mich der entscheidende Wendepunkt, wo ich Gott als Schöpfer des Universums, und als persönlichen, fürsorglichen und lebendigen Vater kennenlernte.
Die erste Möglichkeit SMM direkt zu erleben, bot sich für mich im Jahr 1975, als SMM mit seiner Frau Hak Ja Han sämtliche europäische Mitglieder in Deutschland zu einem Treffen einlud. Dies fand in Bad Camberg in einem Trainingscenter der deutschen Bewegung statt. Wenngleich ich nur als Zuseher in diesem großen Stadl, genannt Neumühle, mit einigen hundert Mitgliedern aus ganz Europa anwesend war, konnte ich das erste Mal SMM persönlich auf der Bühne erleben.
Seine Ausdrucksform durch Gesicht und Körpersprache, wie er über den Messias sprach, was dieser alles zu vermitteln hat, wie er lebt, dass er vielleicht gar nicht zur Toilette gehen muss, und vieles mehr, brachte SMM mit viel Gestik und Humor auf der Bühne zum Ausdruck. Obwohl wir einen Übersetzer hatten, der uns die koreanischen Wörter so gut er konnte ins Deutsche übersetzte, war ich fasziniert vor Begeisterung in Anbetracht der Tatsache, dass vor mir der Messias stand, mit Leib und Seele, und ich konnte ihn erleben.
Das Wort Messias kannte ich ja vorher nur aus dem Religionsunterricht in der Schule, aus den kirchlichen Aktivitäten in unserer Gemeinde, und nicht zuletzt aus den speziellen Weihnachts-und Osterfeierlichkeiten in meiner Familie, wo Jesus immer die zentrale Rolle spielte. Eine persönliche Begegnung mit Jesus, der die Wiederkunft versprochen hat, stand für mich nicht einmal gedanklich als realistische Option zur Vefügung. Nun sitze ich hier vor dem Herrn der Wiederkunft und Messias, und kann ihn persönlich erleben. Das übertrifft die kühnsten Träume die ich mir als Mensch auf Erden vorstellen kann. Mit diesem berauschenden Gefühl kehrte ich mit meinen österreichischen Geschwistern in die jeweiligen Centren zurück. Im göttlichen Prinzip ist die Erfüllung der

drei großen Segen fundamental. Zunächst das Erreichen der Einheit mit Gott, dann die Segnung von Mann und Frau, und die Herrschaft über die Schöpfung.
Im Jahr 1978 hat für mich aus heiteren Himmel heraus die Stunde geschlagen, dass ich nämlich zur nächsten Segnung, die in wenigen Tagen in London stattfinden wird, mitfahren kann. Das war für mich der zweite große Lichtblick in meinem Leben. Jetzt hatte ich die große Möglichkeit, eine Frau (eine Schwester) vom Messias persönlich ausgesucht, als meine zukünftige Frau zugesprochen zu bekommen. Das war für mich der Überhammer an Glückseligkeit, die mit Spannung, Neugier und Herzklopfen mich auf dem Weg nach London begleitete. Dazu war es für`s Erste notwendig, meinen Pinsel als Maler bei einer Firma kurzerhand beiseite zu legen und zu kündigen, um die wichtigsten Utensilien für eine Hochzeit zu besorgen. Nach drei Tagen saß ich mit ca. 20 weiteren Brüdern und Schwestern im Zug nach London. Inmitten dieser Stadt, in einem Saal, gefüllt mit jungen Burschen und Mädchen, im Alter zwischen 28 und einige Jahre über dreißig, war es nun so weit, als schließlich SMM mich mit einem Mädchen zusammenführte, die ich während des kurzen Entscheidungsgesprächs fragte, woher sie denn kommt? Als sie diese Frage mit Frankreich beantwortete, ging ein zusätzlicher innerer Wunsch meinerseits in Erfüllung. Ich hoffte nämlich ein Mädchen außerhalb von Österreich, mit einer anderen Sprache zu bekommen. Diesen Wunsch hat mir Gott aus ganzem Herzen zugesprochen. Mit diesem Ereignis der totalen Wunscherfüllung schwebte ich wie auf Wolken zurück nach Österreich.

Am 1. Februar 1974, auf dem Höhepunkt der Watergate-Affäre, traf ich Präsident Richard Nixon im Weißen Haus. „*Forgive, love and unite*“ war meine Botschaft an die Amerikaner und die Medien für ein starkes und vereintes Amerika.

Ich habe noch einige Fotos aus der Biografie von Sun Myung Moon hinzugefügt. Ein originelles Foto von seinem Besuch in Deutschland im Jahr 1975, sowie einige Fotos von großen Veranstaltungen, mitte der 70er Jahre des vergangenen Jahrhunderts, an denen Madeleine, meine zukünftige Frau teilnahm. Unter dem Banner des „One World Crusade“ flog Madeleine im Winter des Jahres 1973 mit weiteren Mitgliedern in die Vereinigten Staaten, um an diesem Abenteuer mitzumachen. So war sie zwei Jahre in vielen amerikanischen Bundesstaaten unterwegs, und anschließend auch in Korea und Japan. In Japan ist Madeleine auch auf einem Foto mit entusiastischen jungen Menschen zu sehen.

1975 besuchte ich Deutschland zum vierten Mal. Ich bin auf diesem Bild im Seminarzentrum Neumühle, Bad Camberg.

7. Juni 1975 – mehr als 1,2 Millionen Menschen nahmen an der World Freedom Rally auf dem Yoido Plaza in Seoul teil.

Am 6. Dezember 1991 reisten meine Frau und ich auf Einladung von Präsident Kim Il Sung nach Pyeongyang in Nordkorea. Das Treffen fand im Majeon-Präsidentenpalast in Heungnam statt.

Am 24. März 1994 zählten der ehemalige Präsident Michail Gorbatschow und seine Ehefrau Raisa beim Summit Council for World Peace zu meinen Gästen. Ich hatte dieses Gipfeltreffen gegründet, um ehemalige Präsidenten und Staatsoberhäupter einzuladen und mit ihnen gemeinsam Lösungen für die Konflikte in dieser Welt zu finden.

Meet Us At The Monument Sept. 18

Reverend Sun Myung Moon

God Bless America Festival

Washington Monument

September 18th Could Be Your Re-birthday.

Rev. Sun Myung Moon

ew Hope
Singers
national

The Kore
Folk Ball

"The New Future of Christianity"

Madison Square Garden 7:00 p.m.

For free tickets and information, call (212) 686-6673

こころの輪をひろげよう

合宿ゼミナール案内

Anhang

Dieses Staatsgrundgesetz wurde von Hyung JIn Moon und Kook Jin Moon zum überwiegenden Teil aus der US-amerikanischen Verfassung in Englisch übernommen, und für das himmlische Königreich vervollständigt.
Diese deutsche Augabe ist für jeden/jede BürgerIn in verständlicher Form übersetzt und niedergeschrieben.

DAS STAATSGRUNDGESETZ DER VEREINIGTEN STAATEN VON CHEON IL GUK (DES HIMMLISCHEN KÖNIGREICHS)

Präambel

Cheon Il Guk, das Königreich Gottes (oder des Himmels), eine souveräne und wirkliche Nation, existiert in dieser Welt noch nicht, ist aber der lang erwartete Höhepunkt des von den biblischen Schriften prophezeiten Endes der Zeit.
Das Göttliche Prinzip und die Acht Großen Textbücher, die vom Wahren Vater, dem Christus, bei Seinem Zweiten Kommen offenbart wurden, sind das geistige Fundament dieses Grundgesetzes. Auf dem Fundament dieser ewigen Wahrheiten wird die künftige Nation von Cheon Il Guk (des Himmlischen Königreiches) in politischer und gesetzlicher Hinsicht errichtet.
Dieses Grundgesetz ist keine Verfassung einer Kirche oder einer religiösen Körperschaft, sondern sie ist die Verfassung für eine reale und souveräne künftige Nation und die buchstäbliche Frucht der Göttlichen Vorsehung. Die ganze Geschichte hindurch wurde dieses künftige Reich Gottes ersehnt und erwartet.

In dieser hoffnungsvollen Erwartung, erkläre ich, Hyung Jin Moon - gekrönter Nachfolger und Repräsentant der Kosmischen Wahren Eltern des Himmels und der Erde und voller Erbe der Königsherrschaft Gottes - mit aller Autorität, die mir vom Wahren Vater, dem Herrn der Wiederkunft und König der Könige verliehen wurde, hiermit feierlich:
Alle Menschen des Himmlischen Königreichs, Cheon Il Guk, sind souveräne Kinder des allmächtigen Gottes, Christus, der Fleisch geworden ist und uns eine unermessliche Gnade zuteil werden ließ, indem er uns in Gottes Leben, Gottes Liebe und Gottes Blutslinie einpfropfte. Dies stattet alle Menschen des Königreiches Gottes mit unveränderlichen und unveräußerlichen Rechten aus, die ihren Ursprung haben in ihrem Schöpfer, in Gott selbst, durch die physische Königsherrschaft des Christus, die errichtet wurde bei Seinem Zweiten Kommen als der Wahre Vater, Sun Myung Moon.

Die Errichtung der Königsherrschaft Gottes markiert das Ende von Satans Tyrannei und Herrschaft über die Menschen dieser Welt während vergangener Zeiten.
Durch den völligen Sieg des Wahren Vaters, des Königs der Könige und Herrn der Herren, wurden die Bedingungen für die Errichtung des Königreichs Gottes hier auf Erden

erfüllt. Jedoch infolge des Versagens der Han Mutter in letzter Stunde bewegt sich die Welt in die Richtung des Gerichts anstatt des Segens, und die Vorsehung wurde auf drei Generationen und auf die Drei Königsherrschaften Gottes ausgeweitet.
Am Beginn der menschlichen Geschichte im Garten Eden sollte Gottes ursprüngliche Welt der Freiheit, der freien Wahl, des Gewissens und der Beziehung mit Gott errichtet werden. Es sollte eine Welt sein, in der die mächtigen Erzengel Diener der Kinder Gottes sein sollten. Jedoch aufgrund des Sündenfalls beging Eva Ehebruch mit dem Erzengel und versuchte Adam, gegen Gott zu sündigen.
So wurde Satans Herrschaft über diese Welt errichtet, und im Laufe der Geschichte zeigten sich zentralisierte Gewalten und Regierungen, Religionen und wirtschaftliche Unternehmen, die künstliche Strukturen gebrauchen, um über die Menschheit zu herrschen und sie manchmal graduell, manchmal mit brutaler Gewalt ihrer Freiheit berauben. Nun wird das Königreich Gottes auf Erden errichtet, wo die künstlichen Strukturen der Gewalt, die Satan repräsentieren, niemals wieder über die Menschheit herrschen werden. Unabdingbares Ziel und Aufgabe der Königsherrschaft Gottes ist die Bewahrung und der Schutz dieses Bundes zwischen Gott und den Menschen dieser Welt.

Es ist die absolute Verantwortung der künftigen Königsherrschaften der direkten Blutslinie Gottes, das Gelübde und den Bund mit jeder neuen Generation zu erneuern. Künftige Könige des Königreichs Gottes, Cheon Il Guk, die diesen heiligsten Bund zwischen Gott und Seinem Volk – repräsentiert als „Vereinigte Staaten von Cheon Il Guk" – entweihen, beladen sich mit jeder Art von Fluch und werden rücksichtslos von der geistigen Welt und dem allmächtigen Gott gerichtet. Das ist eine furchtbare Warnung für künftige Könige von Cheon Il Guk.

In der Krönungszeremonie der Königsherrschaft Gottes am 13. Januar 2001 erklärte der Wahre Vater, der Messias, der Herr der Wiederkunft und der König der Könige, dass „Artikel I der Verfassung des Himmlischen Königreichs besagt:
dass die Blutslinie nicht befleckt werden darf und bis in alle Ewigkeit rein zu erhalten ist... Der zweite Punkt besagt, dass die Menschenrechte nicht verletzt werden dürfen... Und der dritte Punkt besagt, dass öffentliches Geld und öffentliches Eigentum nicht gestohlen und für private Zwecke benutzt werden dürfen."

Nun, da ich, Hyung Jin Moon, meinen rechtmäßigen Platz einnehme als König der zweiten Königsherrschaft des Königreiches Gottes, von Cheon Il Guk, als gekrönter Nachfolger und Repräsentant der Wahren Eltern des Himmels und der Erde und voller Erbe der Königsherrschaft Gottes - von meinem Vater, Sun Myung Moon, dem Wahren Vater, dem Messias, dem Herrn der Wiederkunft und dem König der Könige, ausgestattet mit aller Autorität – erkläre ich hiermit feierlich das folgende Unveränderliche und Unwandelbare Staatsgrundgesetz für alle Menschen aller Zeiten, das NIEMALS verkürzt und dem nichts hinzugefügt werden soll in folgender Auflistung:

Die Verfassung der Vereinigten Staaten von Cheon Il Guk

Wir, das Volk der Vereinigten Staaten von Cheon Il Guk, geleitet von der Absicht unseren Bund zu vervollkommnen, Gerechtigkeit zu schaffen, die Ruhe im Innern zu sichern, die Landesverteidigung zu gewährleisten, das Allgemeinwohl zu fördern und den Segen der Freiheit uns selbst und unseren Nachkommen zu sichern, bestimmen und errichten im Namen des himmlischen Vaters diese Verfassung für die Vereinigten Staaten von CIG.

Grundsatz I: Die reine Abstammung von Gott erhalten
Die Aufteilung der Geschlechter, in der der Mann der Subjektpartner ist und die Frau den Objektpartner darstellt, ist von Gott gegeben. Der Kongress darf kein Gesetz erlassen, das diesem göttlichen Erlass wiederspricht.
Die eheliche Treue zwischen einem Mann und einer Frau ist das Ideal von Gottes Schöpfung. Daher wird die Regierung von CIG kein Gesetz erlassen, das diesem göttlichen Gesetz widerspricht oder es beeinträchtigt. Da das Ergebnis einer solchen auf Treue beruhenden Ehe die Empfängnis von Kindern ist, darf der Kongress kein Gesetz erlassen, das die Verletzung jeglicher geborenen oder ungeborenen Personen erlaubt. Gemäß der sexuellen Enthaltsamkeit vor der Ehe als ideale Voraussetzung für Frischvermählte darf der Kongress kein Gesetz verabschieden, das alternative Lebensstile unterstützt oder sie befürwortet.

Grundsatz II: Die Menschenrechte sind zu achten
Alle genetisch nicht modifizierten, biologisch lebenden Personen, die die Spitze der Schöpfung Gottes darstellen, sind von ihrem Schöpfer mit unveräußerlichen Menschenrechten ausgestattet:
Recht I

Der Kongress darf kein Gesetz erlassen, das die Einführung einer Staatsreligion betrifft oder die freie Religionsausübung verbietet, die Meinungs- und Pressefreiheit einschränkt oder das Recht des Volkes beeinträchtigt, sich friedlich zu versammeln und die Regierung durch Petition zur Behebung von Missständen aufzufordern.

Recht II
Eine wohlregulierte Miliz ist für die Sicherheit eines freien Staats unerlässlich. Daher darf das Recht des Volkes (Individuen), Waffen zu besitzen und zu tragen nicht eingeschränkt werden.

Recht III
Kein Soldat (Individuum) darf in Friedenszeiten ohne Zustimmung des Eigentümers in einem Haus einquartiert werden und auch in Kriegszeiten nur in der gesetzlich vorgeschriebenen Weise.

Recht IV
Das Recht des Volkes auf Schutz der Person, der Unterkunft, der Urkunden und des Eigentums, vor willkürlicher Durchsuchung, Verhaftung und Beschlagnahme darf nicht verletzt werden; und Haft- und Durchsuchungsbefehle dürfen nur bei Vorliegen eines eidlich oder eidesstattlich erhärteten Rechtsgrundes ausgestellt werden und müssen die durchsuchende Örtlichkeit und die in Gewahrsam zu nehmenden Personen oder Gegenstände genau bezeichnen.

Recht V
Niemand soll wegen eines Kapitaldelikts oder sonstigen verwerflichen Verbrechens zur Verantwortung gezogen werden, es sei denn auf Antrag oder Anklage eines Großen Geschworenen Gerichts. Hiervon ausgenommen sind Fälle, die sich bei den Land- oder Seestreitkräften oder bei der Miliz ereignen, wenn diese in Kriegszeit oder bei öffentlichem Notstand im aktiven Dienst stehen. Niemand darf wegen derselben Straftat

zweimal durch ein Verfahren in Gefahr des Leibes und des Lebens gebracht werden. Niemand darf in einem Strafverfahren zur Aussage gegen sich selbst gezwungen noch des Lebens, der Freiheit oder des Eigentums ohne vorheriges ordentliches Gerichtsverfahren nach Recht und Gesetz beraubt werden. Privateigentum darf nicht ohne angemessene Entschädigung für öffentliche Zwecke eingezogen werden.

Recht VI

In allen Strafverfahren hat der Angeklagte das Recht auf einen zügigen und öffentlichen Prozess vor einem unparteiischen Geschworenengericht des Staates und Distriktes, in dem die Straftat begangen wurde, wobei der betroffene Distrikt zunächst auf rechtlichem Wege zu ermitteln ist. Der Angeklagte hat weiterhin das Recht, über Art und Begründung der Anklage aufgeklärt und den Belastungszeugen gegenübergestellt zu werden, sowie auf Zwangsvorladung von Entlastungszeugen und einen Rechtsbeistand zu seiner Verteidigung.

Recht VII

In Zivilprozessen, in denen der Streitwert mehr als zwanzig Dollar beträgt, besteht das Recht auf Prozess vor einem Geschworenengericht; und keine Tatsache, über die von einem solchen Gericht befunden wurde, darf von einem Gerichtshof der Vereinigten Staaten von CIG nach anderen Regeln als denen des gemeinen Rechts erneut einer Prüfung unterzogen werden.

Recht VIII

Übermäßige Bürgschaften dürfen nicht gefordert, übermäßige Geldstrafen nicht auferlegt und grausame oder ungewöhnliche Straftaten nicht verhängt werden.

Recht IX

Die Auflistung bestimmter Rechte in der Verfassung darf nicht so ausgelegt werden, dass dadurch andere, dem Volk vorbehaltene Rechte aufgehoben oder eingeschränkt werden.

Recht X

Die Machtbefugnisse, die von der Verfassung weder den Vereinigten Staaten von CIG übertragen noch den Einzelstaaten entzogen werden, bleiben den jeweiligen Einzelstaaten oder dem Volke vorbehalten.

Grundsatz III: Öffentliche Gelder sind nicht zu missbrauchen

Artikel I

Autorität des Königs:

1. Der König von CIG ist das Staatsoberhaupt der Vereinigten Staaten von CIG. Die Königsherrschaft wurde von Sun Myung Moon, dem Herrn der Wiederkunft, seinem Sohn Hyung Jin Moon als der zweite König und anschließend Shin Joon Moon als dritter König vermacht. Die Königsherrschaft wird fortan einem Sohn des regierenden Königs vermacht. Hat der König keinen Sohn, wird die Königsherrschaft einem männlichen Erbe aus der direkten Linie von Hyung Jin Moon vermacht. Der König wird entscheiden, wer sein Erbe ist, und er wird die Erbfolge aufstellen.

2. Der König von CIG hat die Befugnis, Strafaufschübe und Begnadigungen für Vergehen gegen die Vereinigten Staaten von CIG zu gestatten.

3. Der König ernennt die Richter des Obersten Gerichtshofs mit der Zustimmung des Senats. Der König kann, mit der Zustimmung des Senats, die Richter der Unteren Instanzen ernennen, oder er kann diese Befugnis auf den Präsidenten übertragen.

4. Der König kann Berufungen gegen die Entscheidungen des Obersten Gerichtshofs anhören.

5. Der König erhält regelmäßige Berichte zur Lage der Nation durch den Präsidenten der Vereinigten Staaten von CIG.

6. Der Kongress hat Geldmittel für die Instandhaltung des königlichen Haushalts und die Finanzierung des königlichen Amtes zuzuteilen. Bedienstete und Leibwachen des Königs gelten als Angehörige seines Haushalts und stehen allein unter seinem Ermessen.

7. Unter der Autorität des Königs wird das Amt des Generalinspekteurs etabliert. Die-

ses Amt verleiht uneingeschränkten Zugang zu allen Dokumenten (Daten) der Regierungen von CIG und soll der Inspektion und Strafverfolgung von Personen in der CIG Regierung dienen, einschließlich der Einleitung von Amtsenthebungsverfahren gegen den Präsidenten oder der strafrechtlichen Verfolgung von CIG Regierungsangestellten. Dieses Amt wird an Kook Jin Moon und seine Nachkommen übergeben. Die Erbschaft erfolgt von Vater zu Sohn oder zum nächsten männlichen Angehörigen, wenn es keinen Sohn gibt. Die Vererbung dieses Amtes wird mit Zustimmung des Königs vollzogen.

8. Sollte der Präsident während eines nationalen Notstands unter Anklage stehen oder seines Amtes enthoben worden sein, hat der König das Anrecht per Dekret zu regieren.

9. Der König vermag nach seinem Ermessen jeglichen außenpolitischen Vertrag als hinfällig zu erklären.

10. Der König mag allein nach seinem Ermessen jegliches Dokument in der Regierung von CIG freigeben.

11. Der König ernennt das Oberhaupt der Präsidentengarde sowie alle ihre Mitglieder.

Artikel II

Abschnitt 1

Die Judikative der Vereinigten Staaten von CIG liegt bei einem Obersten Bundesgericht und solchen unteren Gerichten, deren Errichtung der Kongress von Fall zu Fall anordnen wird. Die Richter, im Obersten Bundesgericht sowie in den unteren Instanzen bekleiden ihr Amt für zwölf Jahre und erhalten eine Vergütung, deren Wert sich während ihrer gesamten Amtszeit nicht verringert. Das Oberste Bundesgericht soll aus zwölf Richtern bestehen. Die Richter werden aufgeteilt in sechs Gruppen, sodass alle zwei Jahre zwei Richter ernannt werden pro Jahr.

Abschnitt 2

1: Die richterliche Gewalt erstreckt sich auf alle Fälle nach dem Gesetzes- und Billigkeitsrechts, die aus dieser Verfassung, den Gesetzen der Vereinigten Staaten von CIG, sowie aus den unter deren Autorität geschlossenen oder künftig zu schließenden Verträgen hervorgehen; - auf alle Fälle, die Botschafter, Gesandte und Konsuln betreffen; - auf alle Fälle der Admiralitäts- und Seegerichtsbarkeit; - auf Streitigkeiten, in denen die Vereinigten Staaten von CIG Streitpartei sind; - auf Streitigkeiten zwischen zwei oder mehreren Einzelstaaten; - zwischen einem Einzelstaat und den Bürgern eines anderen Einzelstaates; - zwischen Bürgern verschiedener Einzelstaaten; - zwischen Bürgern desselben Einzelstaates, die auf Grund von Landzuweisungen seitens verschiedener Einzelstaaten Anspruch auf Land erheben; - sowie zwischen einem Einzelstaat oder dessen Bürgern und fremden Staaten, Bürgern oder Untertanen.

2: Fälle, die Botschafter, Gesandte und Konsuln betreffen, und solche, in denen ein Einzelstaat Streitpartei ist, unterliegen der Gerichtsbarkeit des Obersten Bundesgerichts. In allen anderen, zuvor genannten Fällen dient das Oberste Bundesgericht als Berufungsgericht, sowohl in der rechtlichen als auch in der Tatsachenbeurteilung, wobei der Kongress über jegliche Ausnahmen und Einzelheiten bestimmt.

3: Alle Strafprozesse mit Ausnahme von Fällen der Amtsanklage sind von einem Geschworenengericht durchzuführen, und die Verhandlung findet in dem Einzelstaat statt, in dem die fragliche Straftat begangen worden ist. Wenn eine Straftat allerdings nicht im Gebiet eines der Einzelstaaten begangen worden ist, so findet die Verhandlung an dem Ort oder den Orten statt, die der Kongress durch Gesetz bestimmen wird.

4: Das Gericht erkennt das Recht der Geschworenen an, ungerechte und verfassungswidrige Gesetze zu annullieren.

5: Vertrautheit mit den Umständen eines Falles darf nicht zum Anlass für die Entlassung eines Geschworenen dienen.

Abschnitt 3

1: Als Verrat gegen die Vereinigten Staaten von CIG gilt lediglich die Kriegführung gegen sie oder die Unterstützung ihrer Feinde durch Hilfeleistung und Begünstigung. Niemand darf des Verrates schuldig gesprochen werden, es sei denn auf Grund der Aussage von zwei Zeugen über dieselbe offenkundige Handlung oder auf Grund eines Geständnisses in öffentlicher Gerichtssitzung.

2: Der Kongress hat das Recht, die Strafe für Verrat festzusetzen. Jedoch dürfen die Rechtsfolgen des Verrats nicht über die Lebenszeit des Angeklagten hinaus Ehr- oder Vermögensverlust für seine Nachkommen bewirken.

Artikel III

Abschnitt 1

Alle in dieser Verfassung verliehene gesetzgebende Gewalt ruht im Kongress der Vereinigten Staaten von CIG, der aus einem Senat und einem Repräsentantenhaus besteht.

Abschnitt 2

1: Das Repräsentantenhaus setzt sich aus Abgeordneten zusammen, die alle zwei Jahre in den Einzelstaaten vom Volk gewählt werden. Die Wähler in jedem Staate müssen den gleichen Bedingungen genügen, die für die Wähler der zahlenmäßig stärksten Kammer der gesetzgebenden Körperschaft des Einzelstaats vorgeschrieben sind.

2: Niemand kann Abgeordneter werden, der nicht das Alter von 25 Jahren erreicht hat, sieben Jahre Bürger der Vereinigten Staaten von CIG gewesen und zum Zeitpunkt seiner Wahl Einwohner desjenigen Staates ist, in dem er gewählt wurde.

3: Die Abgeordnetenmandate und die direkten Steuern werden auf die einzelnen Staaten, die diesem Bund angeschlossen sind, im Verhältnis zu ihrer Einwohnerzahl verteilt. Die Durchführung der Zählung selbst erfolgt innerhalb von drei Jahren nach der ersten Zusammenkunft des Kongresses der Vereinigten Staaten von CIG und danach alle zehn Jahre in einer gesetzlich festzulegenden Weise. Verhältnismäßig soll es einen

Abgeordneten für je 2100 Einwohner geben, jedoch soll jeder Staat mindestens einen Abgeordneten haben.
4: Wenn in der Vertretung eines Staates Abgeordnetensitze frei werden, dann schreibt die Regierung Ersatzwahlen aus, um die erledigten Mandate neu zu besetzen.

5: Das Repräsentantenhaus wählt einen Präsidenten (Sprecher) und sonstige Parlamentsorgane und soll die Befugnis zur Amtsenthebung haben.

6: Die Regierung kommt nicht für Angestellte des Repräsentantenhauses auf.

Abschnitt 3
1: Der Senat der Vereinigten Staaten von CIG setzt sich zusammen aus je zwei Senatoren pro Staat, gewählt auf sechs Jahre von dessen gesetzgebenden Körperschaft. Der Dienst eines jeden Senators soll auf maximal zwei Amtszeiten beschränkt sein.

2: Unmittelbar nach seinem Zusammentritt nach der ersten Wahl soll der Senat so gleichmäßig wie möglich in drei Gruppen aufgeteilt werden. Die Senatoren der ersten Gruppe haben nach Ablauf von zwei Jahren ihr Mandat niederzulegen, die der zweiten Gruppe nach Ablauf von vier Jahren und die der dritten Gruppe nach Ablauf von sechs Jahren, sodass jedes zweite Jahr ein Drittel neu zu wählen ist. Falls durch Rücktritt oder aus einem anderen Grund während der Parlamentsferien der gesetzgebenden Körperschaft eines Einzelstaates Sitze frei werden, so kann dessen Regierung vorläufige Ernennungen vornehmen bis die gesetzgebende Körperschaft bei ihrer nächsten Zusammenkunft die erledigten Mandate wiederbesetzen kann.

3: Niemand kann Senator werden, der nicht das Alter von 30 Jahren erreicht hat, neun Jahre Bürger der Vereinigten Staaten von CIG gewesen und zum Zeitpunkt seiner Wahl Einwohner desjenigen Staates ist, für den er gewählt wird.

4: Der Vizepräsident der Vereinigten Staaten von CIG ist Präsident des Senats. Er hat jedoch kein Stimmrecht, ausgenommen im Falle der Stimmengleichheit.

5: Der Senat wählt seine sonstigen Parlamentsorgane und auch einen Interimspräsidenten für den Fall, dass der Vizepräsident abwesend ist oder das Amt des Präsidenten der Vereinigten Staaten von CIG wahrnimmt.

6: Der Senat hat das alleinige Recht, über alle Amtsanklagen zu befinden. Wenn er zu diesem Zwecke zusammenkommt, stehen die Senatoren unter Eid oder eidesstattlicher Verantwortlichkeit. Bei Verfahren gegen den Präsidenten der Vereinigten Staaten von CIG führt der Oberste Bundesrichter den Vorsitz. Niemand darf ohne Zustimmung von zwei Dritteln der anwesenden Mitglieder schuldig gesprochen werden.

7: Das Urteil in Fällen von Amtsanklagen lautet höchstens auf Entfernung aus dem Amt sowie auf Aberkennung der Berechtigung ein Ehrenamt, eine Vertrauensposition oder ein besoldetes Amt im Dienste der Vereinigten Staaten von CIG zu bekleiden; aber der Schuldige ist trotzdem der Anklageerhebung, dem Strafverfahren, der Verurteilung und dem Strafvollzug nach dem Gesetz unterworfen.

Abschnitt 4

1: Zeit, Ort und Vorgehensweise der Senatoren- und Abgeordnetenwahlen werden in jedem Staat durch dessen gesetzgebende Körperschaft bestimmt. Allerdings kann der Kongress jederzeit selbst durch Gesetz solche Bestimmungen erlassen oder ändern; nur die Orte der Durchführung der Senatorenwahlen sind davon ausgenommen.

Abschnitt 5

1: Jedem Haus obliegt selbst die Überprüfung der Wahlen, der Abstimmungsergebnisse und der Wählbarkeitsvoraussetzungen seiner eigenen Mitglieder. In jedem Hause ist die Anwesenheit der Mehrheit der Mitglieder zur Beschlussfähigkeit erforderlich. Jedoch darf eine Minderheit die Sitzung von einem Tag auf den anderen vertagen und ist befugt, das Erscheinen abwesender Mitglieder in der von jedem Haus vorgesehenen Form und mit dementsprechender Strafandrohung zu erzwingen.

2: Jedes Haus kann sich eine Geschäftsordnung geben, seine Mitglieder wegen ordnungswidrigen Verhaltens bestrafen und mit Zweidrittelmehrheit ein Mitglied ausschließen.

3: Jedes Haus führt ein fortlaufendes Verhandlungsprotokoll, das von Zeit zu Zeit zu veröffentlichen ist, mit Ausnahme solcher Informationen, die nach dem Ermessen des Hauses Geheimhaltung erfordern. Die Ja- und die Nein-Stimmen der Mitglieder jedes Hauses zu jedweder Frage sind auf Antrag eines Fünftels der Anwesenden im Verhandlungsprotokoll zu vermerken.

4: Keines der beiden Häuser darf sich während der Sitzungsperiode des Kongresses ohne Zustimmung des anderen auf mehr als drei Tage vertagen noch an einem anderen als dem für beide Häuser bestimmten Sitzungsort zusammentreten.

Abschnitt 6

1: Die Senatoren und Abgeordneten erhalten für ihre Tätigkeit eine Entschädigung, die gesetzlich festgelegt und vom Schatzamt der Vereinigten Staaten von CIG ausgezahlt wird. Sie sind in allen Fällen, mit Ausnahme von Verrat, Verbrechen und Friedensbruch, vor Verhaftung geschützt, solange sie an einer Sitzung ihres jeweiligen Hauses teilnehmen oder sich auf dem Hin- oder Herweg befinden. Kein Mitglied darf wegen seiner Reden oder Äußerungen in einem der Häuser andernorts zur Rechenschaft gezogen werden.

2: Kein Senator oder Abgeordneter darf während seiner Amtszeit in irgendeine Beamtenstellung im Dienste der Vereinigten Staaten von CIG berufen werden, die während dieser Zeit geschaffen oder mit erhöhten Bezügen ausgestattet wurde. Auch darf niemand, der ein Amt im Dienste der Vereinigten Staaten von CIG bekleidet, während seiner Amtsdauer Mitglied eines der beiden Häuser sein.

Abschnitt 7

1: Alle Gesetzesvorlagen zur Aufbringung von Haushaltsmittelns gehen vom Repräsentantenhaus aus. Jedoch kann der Senat wie bei anderen Gesetzesvorlagen Abänderungs- und Ergänzungsvorschläge einbringen.

2: Jede Gesetzesvorlage, die vom Repräsentantenhaus und vom Senat verabschiedet worden ist, soll, ehe sie Gesetzeskraft erlangt, dem Präsidenten der Vereinigten Staaten von CIG vorgelegt werden. Wenn er sie billigt, so soll er sie unterzeichnen. Andernfalls soll er sie mit seinen Einwendungen an jenes Haus zurückverweisen, von dem sie ausgegangen ist. Dieses nimmt die Einwendungen ausführlich zu Protokoll und tritt erneut in die Beratung ein. Wenn nach dieser erneuten Lesung zwei Drittel des betreffenden Hauses für die Verabschiedung der Gesetzesvorlage stimmen, so wird sie zusammen mit den Einwendungen dem anderen Hause zugesandt, um dort gleichfalls erneut beraten zu werden. Wenn sie die Zustimmung von zwei Dritteln auch dieses Hauses findet, wird sie Gesetz. In allen solchen Fällen aber erfolgt die Abstimmungen in beiden Häusern nach Ja- und Nein-Stimmen, und die Namen derer, die für und gegen die Gesetzesvorlage stimmen, werden im Protokoll des betreffenden Hauses vermerkt. Wenn eine Gesetzesvorlage vom Präsidenten nicht binnen zehn Tage (Sonntage nicht eingerechnet), nachdem sie ihm unterbreitet wurde, zurückgeleitet wird, erlangt sie in gleicher Weise Gesetzeskraft, als ob er sie unterzeichnet hätte, es sei denn der Kongress hat durch Vertagung die Rückleitung verhindert; in diesem Fall erlangt sie keine Gesetzeskraft.

3: Jede Anordnung, Entschließung oder Abstimmung, für die übereinstimmende Beschlüsse des Senates und des Repräsentantenhauses erforderlich sind (ausgenommen zur Frage einer Vertagung), muss dem Präsidenten der Vereinigten Staaten vorgelegt und, ehe sie wirksam wird, von ihm gebilligt werden. Falls er ihre Billigung ablehnt, muss sie von Senat und vom Repräsentantenhaus mit einer Zweidrittelmehrheit nach Maßgabe der für Gesetzesvorlagen vorgeschriebenen Regeln und Fristen neuerlich verabschiedet werden.

Abschnitt 8
Der Kongress hat die Befugnis:

1: Umsatzsteuern, Zölle, Abgaben und Verbrauchersteuern aufzuerlegen und einzuziehen, um für die Zahlungsverpflichtungen und Verteidigungskosten der Vereinigten Staaten von CIG aufzukommen. Jedoch sind alle Zölle, Abgaben und Verbrauchersteuern für das gesamte Gebiet der Vereinigten Staaten von CIG einheitlich festzusetzen. Dem Kongress ist es verboten, Steuern, Zölle, Anwendergebühren oder andere der Regierung zugutekommende Erträge zu erheben, wenn diese zehn Prozent des Bruttoinlandsproduktes der Vereinigten Staaten von CIG übersteigen, es sei denn in Zeiten von Krieg oder nationalem Notstand. In Zeiten von nationalem Notstand kann zeitweise eine Mehrwertsteuer eingeführt werden, Einkommenssteuern sollen jedoch nicht erhoben werden.

2: Geld auf Kredit der Vereinigten Staaten von CIG zu entleihen in Zeiten von Notstand oder Krieg. In Friedenszeiten ist es dem Kongress verboten, Geld für den gewöhnlichen Betrieb der Regierung zu entleihen. Für den Fall, dass die Ausgaben das Staatseinkommen überschreiten, kommt es automatisch zu pauschalen Ausgabenkürzungen.
3: Den Handel mit fremden Nationen, sowie zwischen Einzelstaaten zu regeln.

4: Eine einheitliche Einbürgerungsordnung und ein einheitliches Konkursrecht innerhalb der gesamten Vereinigten Staaten von CIG festzulegen.

5: Geld zu münzen, seinen Wert sowie den Wert fremder Währungen festzulegen und Maße und Gewichte zu eichen.

6: Strafbestimmungen für die Fälschung von Staatsobligationen und gültigen Zahlungsmitteln der Vereinigten Staaten von CIG zu erlassen.

7: Den Fortschritt von Kunst und Wissenschaft zu fördern, indem Autoren und Erfindern für begrenzte Zeit das alleinige Recht an ihren Werken und Entdeckungen zugesichert wird.

8: Dem Obersten Bundesgericht nachgeordnete Gerichte zu bilden.

9: Seeräuberei und andere Kapitalverbrechen auf hoher See sowie Verletzungen des Völkerrechts begrifflich zu bestimmen und zu ahnden.

10: Krieg zu erklären, Kaperbriefe auszustellen und Vorschriften bezüglich des Beute- und Prisenrechts zu Wasser und zu Lands zu erlassen.

11: Armeen aufzustellen und zu unterhalten. Jedoch darf die Bewilligung von Geldmitteln zu diesem Zwecke eine Frist von zwei Jahren nicht überscheiten.

12: Eine Marine, eine Luftwaffe und eine Raumfahrtbehörde zu begründen und zu unterhalten.

13: Reglements für Führung und Dienst der Land-, Luft-, Weltraum- und Seestreitkräfte zu erlassen.

14: Vorkehrungen für den Einsatz der Miliz zu treffen, um die Bundesgesetze durchzusetzen, Aufstände zu unterdrücken und Invasionen abzuwehren.

15: Vorkehrungen zu treffen für die Organisation, Bewaffnung und Ausbildung der Miliz sowie für die Führung derjenigen Teile, die sich im Dienste der Vereinigten Staaten von

CIG befinden; wobei jedoch den Einzelstaaten die Ernennung der Offiziere und die Aufsicht über die Ausbildung der Miliz nach den Vorschriften des Kongresses vorbehalten bleiben.

16: Da die Miliz als erste Instanz der Landesverteidigung dient, darf ein bezahltes, stehendes Heer weder zugelassen noch unterhalten werden. Die Armee darf Kriegsgeräte für den Gebrauch der Miliz unterhalten.

17: Alle Gesetze zu erlassen, die nötig und angemessen sind für die Umsetzung der vorstehenden Befugnisse sowie all der Befugnisse, die diese Verfassung der Regierung der Vereinigten Staaten von CIG, ihren Abteilungen oder Abgeordneten verleiht.

18: Der Kongress ist verpflichtet, Gesetze zu erlassen, die Marktkonzentrationen und Monopolbildung einschränken oder verbieten.

19: Der Kongress ist verpflichtet, Gesetze zu erlassen, die die Durchführung von Depositen- und Emissionsgeschäften innerhalb ein und desselben Unternehmens verbieten.

20: Der Kongress ist verpflichtet, Gesetze zu erlassen, nach denen jede Bank auf einen Maximalanteil von einem Prozent des gesamten Bankgewerbes beschränkt ist.

21: Der Kongress ist verpflichtet, Gesetze gegen Zinswucher zu erlassen.

22: Der Kongress ist verpflichtet, Gesetze zu erlassen, die Beteiligungsgesellschaften und Konglomerate in bestimmten Industrien verbieten.

23: Der Kongress ist verpflichtet, Gesetze zu erlassen, die erfordern, dass sich sämtliche Medienunternehmen im Besitz individueller Bürger (lebendiger, genetisch nicht modifizierter, biologischer Personen) von CIG befinden.

24: Der Kongress ist verpflichtet, Gesetze zu erlassen, die die Informationsfreiheit für alle Bürger von CIG garantieren.

25: Der Kongress ist verpflichtet, Gesetze zu erlassen, die die Bürger von CIG davor schützen, von Regierungsbürokratien belästigt oder misshandelt zu werden. Kommt es zu unrechtsmäßigen bürokratischen Maßnahmen, so ist der Kongress verpflichtet, für die Rückerstattung von Schadensersatzzahlungen in dreifacher Höhe sowie für die volle Rückerstattung von Rechtskosten und Nebenkosten zu sorgen.

26: Der Kongress ist verpflichtet, Gesetze zu erlassen, die die Regierung zum Schadensersatz verpflichten, sollte sie Gesetze erlassen, die das Recht eines Menschen einschränken, sich zu verteidigen.

27: Alle vom Kongress beschlossenen Gesetze verlieren ihre Gültigkeit innerhalb von zehn Jahren nach ihrem ersten Inkrafttreten. Die Gesetze sollen in zehn Gruppen aufgeteilt werden, sodass jedes Jahr nur ein Zehntel entfällt.

Abschnitt 9

1: Das Habeas-Corpus-Recht zum Schutze der persönlichen Freiheit (Recht auf unverzügliche Haftprüfung) darf nur dann aufgehoben werden, wenn die öffentliche Sicherheit es im Falle eines Aufstandes oder einer Invasion verlangt.

2: Kein Ausnahmegesetz zur Entziehung der bürgerlichen Rechte und kein Strafgesetz mit rückwirkender Kraft darf verabschiedet werden.

3: Kopfsteuern oder sonstige direkte Steuern dürfen nur im Verhältnis zu der hierin zuvor angeordneten Volkszählung oder Volksschätzung auferlegt werden.

4: Weder Steuern noch Zölle dürfen auf Waren erhoben werden, die aus einem der Einzelstaaten exportiert werden.
5: Eine Begünstigung von Häfen eines Einzelstaates gegenüber denen eines anderen durch Handels- oder Umsatzvorschriften darf nicht gewährt werden. Auch dürfen Schiffe, auf dem Weg zu oder von einem der Einzelstaaten, nicht genötigt werden, in einem anderen Einzelstaat anzulegen, zu klarieren oder Gebühren zu entrichten.

6: Geld darf nur infolge von gesetzlichen Bewilligungen aus der Staatskasse entnommen werden; ein regelmäßiger Auszug und Bericht aller Einkünfte und Ausgaben der öffentlichen Hand ist von Zeit zu Zeit zu veröffentlichen.
7: Niemand, der ein besoldetes oder ehrenamtliches Amt im Dienste des Kongresses bekleidet, darf ohne dessen Einwilligung Geschenke, Entlohnungen, Ämter oder Titel

jeglicher Art von jedwedem König, Fürsten oder fremden Staat annehmen.

8: Dem Kongress ist es untersagt, dem Terror, den Drogen, der Armut oder anderen nichtstaatlichen Instanzen den Krieg zu erklären.

9: Dem Kongress ist es untersagt, Programme für Gesundheitsvorsorge, Bildung, Sozialhilfe und Sicherheit einzuführen oder zu finanzieren.

10: Dem Kongress ist es untersagt, seine Befugnisse der Exekutive und ihren Bürokratien zu überschreiben.

11: Dem Kongress ist es untersagt, einen nationalen Polizeiapparat oder einen zivilen Geheimdienst zu etablieren.

12: Dem Kongress ist es untersagt, Dokumente mit Geheimhaltungsstufe zu versehen, wenn diese keinen wesentlichen Einfluss auf die nationale Sicherheit haben.

13: Dem Kongress ist es untersagt, eine Zentralbank zu gründen oder zu genehmigen.

14: Dem Kongress ist es untersagt, eine Umweltschutzbehörde zu gründen oder Gesetze zum Umweltschutz zu erlassen.
15: Dem Kongress ist es untersagt, das Internet zu reglementieren.

16: Die Regierung befürwortet und würdigt das Ideal des unabhängigen Bürgers und sie erkennt an, dass Privateigentum ein Teil des unabhängigen Bürgers ist. Dem Kongress ist es untersagt, Gesetze zu erlassen, die den Wert von privatem Eigentum ohne gerechte Entschädigung mindern oder beeinträchtigen.

17: Dem Kongress ist es untersagt, Gesetze zu erlassen, die staatliche Lizensierung für gewisse Erwerbstätigkeiten erforderlich machen.

18: Der Kongress darf Rauschmittel regulieren, jedoch nicht völlig verbieten.

Abschnitt 10

1: Kein Einzelstaat darf einem Vertrag, einem Bündnis oder einer Konföderation beitreten, Kaperbriefe ausstellen, Geld münzen, Banknoten herausgeben, ein gesetzliches Zahlungsmittel außer Gold- oder Silbermünzen einführen, ein Ausnahmegesetz zur Entziehung der bürgerlichen Rechte, ein Strafgesetz mit rückwirkender Kraft oder ein Gesetz, das die Erfüllung von Vertragsverpflichtungen beeinträchtigt, verabschieden.

2: Kein Einzelstaat darf ohne die Einwilligung des Kongresses Abgaben für Importe oder Exporte verlangen soweit dies nicht zur Durchführung der Überwachungsgesetze unbedingt nötig ist. Der Reinertrag, den ein Staat durch die Erhebung von Zöllen und Abgaben auf Importe und Exporte erwirtschaftet, soll dem Schatzamt der Vereinigten Staaten von CIG zur Verfügung stehen. Alle derartigen Gesetze unterliegen der Revisions- und Aufsichtsbefugnis des Kongresses.

3: Kein Staat darf ohne die Einwilligung des Kongresses Tonnengelder erheben, in Friedenszeiten Truppen oder Kriegsschiffe unterhalten, Vereinbarungen oder Verträge mit einem der anderen Staaten oder mit einer fremden Macht schließen oder Krieg führen, außer wenn er angegriffen wird oder in unmittelbarer Gefahr ist, die keinen Aufschub duldet.

Artikel IV

Abschnitt 1

1: Die exekutive Macht obliegt dem Präsidenten der Vereinigten Staaten von CIG. Er soll sein Amt für eine Amtszeit von vier Jahren bekleiden und wird, zusammen mit dem für dieselbe Amtszeit ernannten Vizepräsidenten, wie folgt gewählt:

2: Jedes gewählte Mitglied des Repräsentantenhauses erhält eine Stimme in der Präsidentschaftswahl.

3: Jede Person mit mindestens zehn Stimmen der gewählten Mitglieder des Repräsentantenhauses gilt als Präsidentschaftskandidat.

4: Sobald die Kandidaten feststehen, wählt das gesamte Repräsentantenhaus den Präsidenten. Erhält kein Kandidat fünfzig Prozent oder mehr der Stimmen des Repräsentantenhauses, findet eine zweite Wahlrunde statt. In der zweiten Runde dürfen die sieben Kandidaten mit den meisten Stimmen um die Präsidentschaft konkurrieren. Erhält kein Kandidat fünfzig Prozent oder mehr der Stimmen des Repräsentantenhauses, findet eine dritte Wahlrunde statt. In der dritten Wahlrunde wird der Kandidat mit den wenigsten Stimmen der zweiten Runde als Präsidentschaftskandidat eliminiert, und die verbleibenden sechs Kandidaten konkurrieren in der dritten Runde. Erhält kein Kandidat fünfzig Prozent oder mehr der Stimmen, kommt es zu weiteren Wahlrunden, wobei der Kandidat mit den wenigsten Stimmen in der folgenden Runde ausscheidet. Der Kandidat, der fünfzig Prozent oder mehr der Stimmen erhält, wird Präsident der Vereinigten Staaten von CIG.

5: Der Kongress darf über den Zeitpunkt der Wahl bestimmen, doch die Wahl muss in kontinuierlicher Weise fortgesetzt werden bis der Präsident gewählt ist.

6: In das Amt des Präsidenten können nur in den Vereinigten Staaten von CIG geborene Bürger oder Personen, die zur Zeit der Annahme dieser Verfassung Bürger der Vereinigten Staaten von CIG waren, gewählt werden. Es kann niemand in dieses Amt gewählt werden, der nicht das Alter von 35 Jahren erreicht hat und mindestens vierzehn Jahre lang Bürger der Vereinigten Staaten von CIG gewesen ist.

7: Im Falle der Amtsenthebung des Präsidenten oder seines Todes, Rücktritts oder Unvermögens zur Wahrnehmung der Befugnisse und Pflichten seines Amtes geht dieses auf den Vizepräsidenten über. Der Kongress kann per Gesetz für den Fall der Amtsenthebung, des Todes, Rücktritts oder Unvermögens sowohl des Präsidenten als auch des Vizepräsidenten Vorsorge treffen und bestimmen, welcher Beamte dann als Präsident fungiert. Ein solcher Abgeordneter bekleidet das Amt so lange bis die Amtsunfähigkeit behoben oder ein Präsident gewählt worden ist. Der Dienst des Präsidenten soll auf zwei Amtszeiten beschränkt sein.

8: Der Präsident erhält zu festgesetzten Zeiten eine Vergütung für seine Dienste. Diese darf während seiner Amtszeit weder vermehrt noch verringert werden. Er darf während seiner Amtszeit keine sonstigen Einkünfte von den Vereinigten Staaten von CIG oder einem der Einzelstaaten beziehen.
9: Bevor er die Ausführung seines Amtes antritt, soll er folgenden Eid oder folgende eidesstattliche Bekräftigung leisten: „Ich schwöre feierlich, dass ich das Amt des Prä-

sidenten der Vereinigten Staaten von CIG getreulich ausüben und die Verfassung der Vereinigten Staaten von CIG nach besten Kräften bewahren, schützen und verteidigen werde."

Abschnitt 2

1: Der Präsident ist der Oberbefehlshaber der Armee der Vereinigten Staaten von CIG sowie der Miliz der Einzelstaaten, wenn diese in den Dienst der Vereinigten Staaten von CIG berufen werden. Er kann von den Leitern jeder Regierungsabteilung eine schriftliche Stellungnahme zu jeglichen Dienstangelegenheiten der betreffenden Abteilung einfordern.

2: Er hat die Befugnis, auf Anraten und mit Einwilligung des Senats Verträge zu schließen, vorausgesetzt, dass zwei Drittel der anwesenden Senatoren zustimmen. Er nominiert auf Anraten und mit Einwilligung des Senats die Botschafter, Gesandten und sonstigen Beamten der Vereinigten Staaten von CIG, deren Ernennung nicht anderweitig hierin vorgesehen ist und deren Ämter durch Gesetz geschaffen werden. Der Kongress kann jedoch nach seinem Ermessen per Gesetz die Ernennung von unteren Beamten auf den Präsidenten allein oder auf die Leiter der Regierungsabteilungen übertragen.

3: Der Präsident hat die Befugnis, sämtliche Leerstellen zu füllen, die während der Senatsferien entstehen mögen, indem er Amtsaufträge erteilt, die mit Ende der Sitzungsperiode ablaufen.

4: Dem Präsidenten ist es untersagt, Dokumente mit Geheimhaltungsstufe zu versehen, wenn diese keinen wesentlichen Einfluss auf die nationale Sicherheit haben.

5: Dem Präsidenten und der Exekutive ist es untersagt, heimliche Terrorakte gegen die Bürger der Vereinigten Staaten von CIG auszuüben mit der Absicht, die öffentliche Meinung zu manipulieren (Operationen unter falscher Flagge). Jeglicher Verdacht auf Operationen unter „falscher Flagge" wird vom Generalinspekteur untersucht werden. Solche Operationen gelten als Akt der Kriegsführung gegen die Bürger von CIG.

Abschnitt 3
Er hat von Zeit zu Zeit dem Kongress über die Lage der Union Bericht zu erstatten und solche Maßnahmen zur Besprechung zu bringen, die er als notwendig und nützlich erachtet. Er kann bei außerordentlichen Anlässen beide oder eines der beiden Häuser einberufen. Er kann, sollten sich die beiden Häuser über den Zeitpunkt der Sitzung nicht einigen können, sie zu einem ihm passend erscheinenden Zeitpunkt einberufen. Er empfängt Botschafter und Gesandte. Er sorgt dafür, dass die Gesetze gewissenhaft vollstreckt werden und bevollmächtigt sämtliche Beamte der Vereinigten Staaten von CIG.

Abschnitt 4
Der Präsident, der Vizepräsident und alle Zivilbeamten der Vereinigten Staaten von CIG werden bei Amtsanklage und strafrechtlicher Verurteilung für Verrat, Bestechung und andere Verbrechen und Vergehen ihres Amtes enthoben.

Artikel V

Abschnitt 1
Gesetze, Urkunden und richterliche Beschlüsse jedes Einzelstaates genießen ihre volle Anerkennung und Geltung in jedem anderen Staat. Der Kongress kann per Gesetzgebung bestimmen, wie derartige Gesetze, Urkunden und richterliche Beschlüsse nachzuprüfen und geltend zu machen sind.

Abschnitt 2
1: Die Bürger eines jeden Einzelstaates genießen alle Vorrechte und Freiheiten der Bürger anderer Einzelstaaten.

2: Eine Person, die in einem Staat des Verrats, eines Verbrechens oder eines Vergehens bezichtigt wird und versucht, dem Gesetz zu entfliehen und in einem anderen Staate aufgegriffen wird, muss auf Verlangen der Regierung des Staates, aus dem sie entflohen ist und unter Einwilligung der Regierung des Staates, in den sie entflohen ist, an den Staat ausgeliefert werden, unter dessen Gerichtsbarkeit das Verbrechen fällt.

3: Niemand, der in einem Einzelstaat nach dessen Gesetzen zu Dienst oder Arbeit verpflichtet ist und in einen anderen Staat entflieht, darf auf Grund dort geltender Gesetze oder Bestimmungen von dieser Dienst- oder Arbeitspflicht befreit werden.

Abschnitt 3

1: Neue Staaten können vom Kongress in diesen Bund aufgenommen werden. Der Aufnahmeprozess für neue Staaten soll nach dem Verfahren für das Schließen von Verträgen mit fremden Staaten erfolgen. Der König von CIG besitzt die finale Entscheidungsgewalt über die Aufnahme eines neuen Staates.

2: Der Kongress hat das Recht, über die Ländereien und sonstiges Eigentum der Vereinigten Staaten von CIG zu verfügen und alle erforderlichen Anordnungen und Vorschriften hierüber zu erlassen. Keine Bestimmung dieser Verfassung darf so ausgelegt werden, dass durch sie Ansprüche der Vereinigten Staaten von CIG oder irgendeines Einzelstaates präjudiziert würden.

Abschnitt 4

Die Vereinigten Staaten von CIG garantieren jedem Staat in diesem Bunde entweder eine republikanische Regierungsform oder eine republikanische Monarchie und schützen jeden von ihnen vor feindlichen Angriffen und auf Antrag seiner gesetzgebenden Körperschaft oder Regierung (wenn die gesetzgebende Körperschaft nicht einberufen werden kann) auch vor internen Gewaltakten.

Artikel VI

1: Die zuvor genannten Senatoren und Abgeordneten, die Mitglieder der gesetzgebenden Körperschaften der Einzelstaaten und alle Verwaltungs- und Justizbeamte und Könige, sowohl der Vereinigten Staaten von CIG als auch der Einzelstaaten, verpflichten sich, durch Eid oder eidesstattliche Bekräftigung diese Verfassung zu wahren.

Deutsche Übersetzung für die englischen Originalzitate:

SMM God`s Will and the World 395

Gott hält Ausschau für eine ideale Frau, welche die Qualifikationen und das Potential um eine wahre Frau, und wahre Mutter, und um schließlich die wahre Königin oder Kaiserein des
Universums zu werden.
Jede Frau ist ein Kandidat für diese Position, deshalb wurde Frauen generell eine Chance gegeben, aufzusteigen.

SMM God`s Will and the World 576

Dieser längere Abschnitt trägt den Titel „Mutters Kurs"

SMM God`s Will and the World 583

Schließlich fand ich die schöne Mutter und erzog sie.

SMM God`s Will and the World 487

Mutters Position ist manchmal keine glückliche, bis jetzt hat sie sich nicht beschwert.

SMM 15. Oktober 1999

Daher, wenn Mutter, sie ist auch hier, ihre eigenen Gedanken pflegt und ihr eigenes Nest baut, dann wird das ein großes Problem. Rev. Moon wird damit nicht in Verwirrung geraten. Aber wenn das unweigerlich passiert, so werde ich das überspringen.Ich werde erneut einen Berg bauen. Wir sind nun in die Ära der Vollendung eingetreten, wenn Mutter ihre Verantwortung nicht erfüllt, da gibt es eine Menge von Kandidaten.

SMM 11. May 2007

Mutter muss sich nun selber bis zum 16. Juni 2013 vollenden.

SMM 16. Juli 2012

Mutter wurde von mir erzogen, aber da ist keine wahre Mutter.
Die Position der Frau von Rev. Moon ist leer. Sie macht was sie will, gemäß ihrer eigenen Laune! Hey!

SMM God`s Will and the World 420

Wenn ich sterbe , wer wird sich um Gott auf der Erde kümmern. Ich möchte jemanden sehen, der hervor tritt und dies tun kann.
Ich fühle, dass ich mich weitere 15 Jahre voll und ganz investieren kann, und in dieser Zeit muss ich meinen Nachfolger finden.

SMM God`s Will and the World 582

In diesem Sinne ist die himmlische Tradition in der Vereinigungskirche bereits etabliert. Mein Nachfolger unter meinen Söhnen und Töchtern, wird in gleicher Weise bestimmt.
SMM 16. April 2008

Ich kann jemanden die Verantwortung für meine Arbeit überlassen. Gegenwärtig gibt es keinen unter den Kirchenmitgliedern, der Hyung Jin Nim in seinem Standard des Glaubens, und in jeder weiteren Hinsicht überragt. Versteht ihr?
„Ich bestelle ihn"

SMM God`s Will and the World 5. Juni 1983 651

Nachdem diese Registrierung durchgeführt ist, wird der Wahre Vater seinen Nachfolger bestellen. Der Nachfolger muss in der gesamten Vereinigungskirche bekannt sein, bei gesegneten Paaren und bei der wahren Familie.
Alle müssen ihn einstimmig akzeptieren. Sobald der Nachfolger bestimmt ist, wird das Gesetz, die Verfassung des himmlischen Königreiches alle Aktivitäten führen und lei-

ten. Das Gesetz (Statuten , Bestimmungen, Vorschriften) werden die Bürger hier auf Erden und auf dem Weg in das himmlische Königreich führen.

SMM God`s Will and the World 5. Juni 1983 649

Es wird immer ein physischer Repräsentant des Wahren Vaters hier auf der Ede sein, von einer Generation zur anderen. Es wird diese Achse sein, auf welcher sich die Erde drehen wird.
Daher werden alle Menschen hier auf Erden, und alle zukünftigen Generationen auf diese Achse ausgerichtet sein.

SMM Deklaration und Wille 5.Juni 2010

Das Führungszentrum für kosmischen Frieden und Einheit ist das absolute und einheitliche Führungszentrum.
Sein Repräsentant und Erbe ist Hyung Jin Moon.
Jeder andere würde ein Herätiker und einer sein, der die Dinge zum Verfall bringt.
Der obere Inhalt ist die Proklamation der Wahren Eltern

SMM God`s Will and the World 362

Unsere Feinde werden nicht nur nationalen und internationalen Protest gegen mich entfachen, sondern auch schmutzige Taktiken verwenden, um uns zu untergraben. Zum Beispiel werden Kommunisten in unsere höheren Stellungen eindringen und sich wie hingebungsvolle Mitglieder benehmen. Wenn sie das Vertrauen gewonnen haben, beginnen sie alle möglichen Schwierigkeiten zu machen, schließlich werden ihre Aktionen auf mich zurück reflektieren. Das ist ihr Ziel, und ich bin mir dieser Taktik sehr klar und deutlich bewußt.
Wie bedauerlich meine Situation ist.
Ich erhalte bereits jetzt alle möglichen Arten von Anklagen und Verfolgung von Außen; aber noch schlimmer, da gibt es Leute die kalkulieren, wie sie innerhalb der Vereinigungskirche Schande über mich verbreiten können.
Es gibt keinen Platz wo ich dieser aufgeheizten Schlacht entkommen kann.

SMM Blessing and Ideal Family Band 1 Teil 2 Seite 9

Wenn ich die Segnung gebe, frage ich zuerst; wenn ihr einen Fehler macht, werdet ihr die Verantwortung dafür übernehmen?
Infolge dessen ist es eine bedingte Segnung...aber weil ihr den fortgeschrittenen Standard noch nicht erreicht habt, ist euch eine bedingte Segnung gegeben.
Deshalb habt ihr die Segnung in Zukunft noch einmal zu erhalten.

Seite 10
Nachdem ihr durch diesen Prozess gegangen seid, könnt ihr die dritte Segnung empfangen.
Die Segnung die ich euch gegeben habe ist auf der Stammesebene.
Ihr habt die Segnung repräsentierend auf nationaler Ebene erhalten, aber dennoch vom Standard der Stammesebene.
Ihr müsst die Segnung drei Mal empfangen.

SMM 26. April 2005

Ich will auch nicht, dass irgend jemand von meinen Worten die ich geschrieben habe etwas ändert. Jene wissen nicht, warum der Inhalt so geschrieben ist, wie er ist. Wenn sie den Inhalt verändern ohne zu verstehen, dann werden sie von jedem gerichtet werden, wenn sie in die andere Welt gehen.
Die werden für das zur Verantwortung gezogen werden.
Deshalb soll niemand ohne meine Erlaubnis die geschriebenen Worte verändern.

SMM 8. - 15. Jänner 2012

Ich hinterlasse meine acht großen Textbücher und Lehrmaterial für die Menschheit, zum Gebrauch für alle Ewigkeit..
Alle zusammen sind diese in fast 1000 Bänden publiziert.
Diese sind: Die Predikten von Rev. Sun Myung Moon, das göttliche Prinzip, Cheon Seong Gyeong,
das Familiengelöbnis, Pyeong Hwa Shin Gyeong, True Families: Gateweay to Heaven, und World Scripture.
Das sind die Textbücher, die ihr auch zu lesen und zu studieren habt, nachdm ihr in die geistige Welt gegangen seid.

Hak Ja Han CSG 1361/17

Als ich den Wahren Vater das erste Mal traf, habe ich mir zwei Ziele gesetzt.
Um die Geschichte der Vorsehung der Wiederherstellung durch Wiedergutmachung zu Ende zu bringen, und Gottes ideale Welt der Schöpfung zu verwirklichen.
Niemand, nicht einmal der Wahre Vater sagte mir was zu tun ist.
Aber ich erkannte, wenn ich versagen würde dies zu tun, es späteren Generationen noch schwieriger machen würde. Deshalb ist meine heutige Position das Resultat meiner ständigen Anstrengung meine Mission zu erfüllen.

Hak Ja Han CSG 1362/20

All die Wörter und Aktionen des Wahren Vaters sind wie ungeschliffene Juwelen. Ich möchte aus diesen Juwelen etwas vom größten Wert schaffen, wo ich es nah an mir behalten und frei lieben kann. Ihr möget das selbe fühlen. Als ersten Schritt will ich die Wörter von CSG polieren, einen Juwel schaffen, ohne dem ihr nicht leben könnt.
Am letzten Tag eures Lebens, wollt ihr dieses Juwel mitnehmen in die geistige Welt.
Darum arbeite ich daran.
SMM Ansprache: Lords of Peace, Lords of Lineage.

Nur weil etwas groß ist,bedeutet das nicht, dass es agieren kann wie ein König.
Ein König braucht eine Königin. Wenn der Partner nicht mehr da ist, wird auch der König (als König) nicht mehr da sein. Es ist wichtig das Prinzip des Himmles, der Erde und der Menschheit zu verstehen.

Hak Ja Han gelöschte Passage vom Band 607 Seite 310

Wieviel Jahre und Monate sind noch übrig bis (Ki Won Jeol)?
Wenn Mutter die Ebene der Verantwortlichkeit, die sie bis zu dieser Zeit zu übernehmen hat, nicht erfüllt, dann wird ein Problem entstehen. Deshalb habe ich all die Verantwortung übernommen und erfüllt. Seit ich das für sie übernommen habe, so lange sie nicht ihrem Ärger Luft macht, und keinen Schlag austeilt, wird alles in Ordnung sein.

Hak Ja Han gelöschte Passage vom Band 614 Seite 141

...weil Mutter gefallen ist, hat sie selber dafür Verantwortung zu übernehmen und wiederherzustellen.
Diese Leute, die da herumschlendern und flirten, können das nicht machen.

Hak Ja Han im Magazin Today`s World Ansprache 7. Jänner 2013

Das Lehrmaterial und die Arbeit des Wahren Vaters sind wie Edelsteine. Egal wie wertvoll ein Edelstein ist, er muss geschnitten und geschliffen werden, damit er glitzert. Kurz gesagt, ein Edelstein ist ein Edelstein, anfänglich ist er roh und unrein. Durch das kontinuirliche Bewahren dieses Lehrmaterials möchte ich Herrlichkeit in den Himmel bringen.
Dies wird in Zukunft Personen mit Übermaß an Selbstvertrauen hindern, das Lehrmaterial zu berühren oder zu verändern. So kann in Zukunft von diesen Wörtern nichts hinzugefügt oder weggenommen werden.
Ich alleine kann das tun. Ist das nicht wahr?
Wer könnte das sonst tun?

SMM Blessing and ideal Family Seite 399

Die ersten sieben Jahre nach der heiligen Hochzeitszeremonie waren die Periode, um Mutter mit der himmlischen Tradition zu erziehen.Währen dieser Periode betete Vater ständig, Tag und Nacht.
Sogar Mutter hat über die Bedeutung dieser Periode nichts gewußt. Aber Vater hat substantiell die himmlische Tochter, himmlische Ehefrau und den Standard der Wahren Eltern wiederhergestellt.
Denn dies war durch den Fall alles verloren gegangen.

SMM God`s Will and the World Seite 45

Die Geschichte von Tamar.
Wenn ihr die Geschichte über Tamar versteht, dann könnt ihr die ganzen Prinzipien verstehen.
Mit wem hatte Tamar eine Beziehung?

Mit ihrem Schwiegervater.
Wie kann aus einer solchen Beziehung ein Baby geboren werden, das die Blutslinie von Israel erbte.
Gen. 38, 27-30

Hak Ja Han 24. Oktober 2016

Die ganze christliche Geschichte war das Fundament für das Kommen der einzigen begotten Tochter.
Der Weg der Christenheit war dafür da, um das Fundament für die einzige begotten Tochter zu errichten.
Gottes Vorsehung diente dem Finden der einzigen begotten Tochter.

Hak Ja Han 1. Juli 2014

Der Prozess der Änderung der Blutslinie geschah während ich im Bauch meiner Mutter war.
Das ist etwas was ihr glauben müsst.

Hak Ja Han 24. Oktober 2016

Von 400-800 BC gab es in Korea ein Königreich, dieses Königreich war das Königreich des Han-Stammes. Dieser Han breitete sich auf ganz Korea und Japan aus.
Schlussendlich war die Halbinsel Korea in der Erwartung der Geburt des Herrn der Wiederkunft, der einzigen begotten Tochter.

Bei anderen Ansprachen sagte Hak Ja Han

Ich bin sehr ernst. Ich bin die Wahren Eltern, die einzige begotten Tochter, die wahre Mutter, ich bin die Mutter des Universums.

SMM 19. Jänner 2012

Die wahren Eltern von Himmel, Erde und Menschheit sind nicht zwei, aber eins.
Mutter ist Vaters Plattform, nur mit ihm zu essen und ihm zu folgen, macht sie nicht

automatisch eine Wahre Mutter.
Eigenständige Aktionen verursachen verderben und Tod.
Jene, die nicht Vaters Anweisungen befolgen, und nur um Mutter herumsitzen, sind Schurken.
Jeder der Mutter folgt und denkt, er braucht Vater nicht, ist ein wurzelloser Demon.
Mutter geht ihren eigenen weg wie ein Demon.
Sie geht nicht den selben Weg wie Vater.
Prahle nicht über Anju(Mutters Heimat) und den Familienname Han. Wenn du das machst, wirst du nicht Wahre Mutter.
Wenn Mutter sagt „hört nicht auf Vater, hört auf mich“ das ist mehr furchterregend als Luzifer.

Abkürzungen

SMM: Sun Myung Moon
HJN: Hyung Jin Moon
KJN: Kook Jin Moon
HJH: Hak Ja Han
VK: Vereinigungskirche
HDH: Hoon Dok Hae (Lesen der Schriften von SMM)
CIG: Cheon Il Guk (Himmlisches Königreich)